.

Emmanuel Bove

Le piège

Postface d'Alain Clerval

Gallimard

Emmanuel Bove est né à Paris en 1898. Il y est mort le 13 juillet 1945 après une longue maladie infectieuse qui l'avait mis dans un état d'extrême faiblesse. Il n'a jamais eu de travail régulier ni de domicile établi. A vingt-trois ans, il publie *Mes amis*. Sensible au goût du détail pittoresque que, déjà, Emmanuel Bove manifeste, Colette le fait publier chez Ferenczi en 1924. Deux ans plus tard, Emile-Paul Frères publie son deuxième roman, *Armand*. Rainer Maria Rilke, qui veut à tout prix connaître « l'auteur d'*Armand* », rencontre Emmanuel Bove lors de son dernier voyage à Paris. Nullement ébranlé par le vif succès que remportent ces deux premiers ouvrages, Bove écrit, entre 1927 et la défaite une quinzaine de romans, des nouvelles et un essai. Il refuse ensuite de publier dans la France occupée. Désireux de rejoindre de Gaulle en Angleterre, en novembre 1942, il se retrouve... à Alger, où son état de santé ne fera qu'empirer. Là, il est l'un des premiers à faire partie du Comité National des Ecrivains, et établit des liens avec des écrivains et des artistes tels André Gide, Albert Marquet, Philippe Soupault, Saint-Exupéry, Max-Pol Fouchet. C'est à Alger encore qu'il écrit *Départ dans la nuit* dédié à de Gaulle, et *Non-lieu* qui lui fait suite.

Il rentre à Paris en octobre 1944, malade. En 1945, il aura la satisfaction d'assister à la publication de son roman qui précède le diptyque, *Le piège*, et, sinon à la publication, en tout cas à la préparation de l'édition de *Départ dans la nuit* (Charlot, Alger, 1945). *Non-lieu* sera publié après sa mort.

Interrogé après la guerre sur l'écrivain méconnu dont il recommanderait la lecture, Samuel Beckett avait répondu : « Emmanuel Bove. Il a comme personne le sens du détail touchant. »

CHAPITRE PREMIER

Depuis qu'il était à Lyon, Bridet cherchait un moyen de passer en Angleterre. Ce n'était pas facile. Il employait ses journées à courir partout où il eût eu une chance de rencontrer des amis qu'il n'avait pas encore revus. Il fréquentait la brasserie proche du grand théâtre où se réunissaient les journalistes dits repliés, il se promenait rue de la République, tâchant de découvrir aux terrasses des cafés des figures de connaissance, il retournait plusieurs fois par jour à son hôtel avec l'espoir d'y trouver une lettre, un rendez-vous, un signe enfin de l'extérieur.

Mais dans cette cohue qui avait envahi la ville, au milieu des difficultés que chacun éprouvait, parmi tous ces gens qui, à Paris, s'ils se connaissaient, ne se fréquentaient pas, il n'y avait pas de place pour le moindre sentiment de solidarité. On se serrait la main, on s'efforçait d'avoir l'air aussi content à la dixième rencontre qu'à la première, on sympathisait dans l'immense catastrophe, feignant de croire que le malheur unit plutôt qu'il ne divise, mais dès que, cessant de parler de la misère générale, on essayait

7

d'intéresser quelqu'un à son petit cas particulier, on se trouvait en face d'un mur.

Le soir, Bridet rentrait exténué. Pour conserver sa chambre, il devait simuler chaque semaine un départ, les hôtels étant réservés aux voyageurs de passage. « C'est tout de même grotesque, pensait-il, de n'avoir pas encore trouvé, au bout de trois mois, le moyen de filer. Cela devient même dangereux. » Tout le monde finissait par se douter qu'il voulait partir. Rien ne dévoile mieux nos intentions qu'une longue impuissance. A toujours demander sans obtenir, on finit par donner de soi l'idée qu'on ne réussira jamais, qu'on appartient à cette catégorie un peu ridicule d'hommes dont les désirs sont trop grands pour leurs possibilités.

Le 4 septembre 1940, Bridet se réveilla plus tôt que d'habitude. Il occupait à l'hôtel Carnot une petite chambre, la chambre 59, la dernière. Elle donnait sur la place Carnot, en face de la gare de Perrache. Toute la nuit il avait entendu des allées et venues. Jamais les Français n'avaient autant voyagé. Avant le lever du jour, il avait entendu les premiers tramways. La vie continuait donc comme avant! Il y avait donc encore des ouvriers qui se rendaient à leur travail! Et cette vie régulière que ces entrechoquements de voiture à l'aube et ces bruits de roues de fer sur les rails évoquaient, avait quelque chose de désespérant.

Le soleil s'était levé, mais il n'avait pas encore dépassé les maisons plantées de l'autre côté de la place et ces rayons qui ne se posaient sur rien, qui se répandaient simplement dans l'espace, donnaient au ciel un aspect printanier. Tout à coup, au plafond, une pâle lumière dorée vint se poser. Bridet se rappela des matins de vacances et il eut un serrement de cœur. La vie était toujours aussi belle. Lui aussi, il avait envie de voyager. Mais à Avignon, à Toulouse, à Marseille, que trouverait-il de mieux? On étouffait partout. Où qu'on allât, on se sentait écrasé par une police de plus en plus nombreuse. Chaque agent était doublé d'un autre agent, quelquefois même d'un civil qui, dans sa hâte de prendre du service, n'avait pas attendu qu'un uniforme lui fût donné.

« Cela me dégoûte, mais il faut tout de même que j'aille voir Basson », murmura Bridet. Il se disait chaque jour qu'il devait aller à Vichy. Il s'en voulait d'avoir trop attendu. Il avait traîné tout l'été dans les villages du Puy-de-Dôme, de l'Ardèche, de la Drôme, espérant il ne savait quoi, et maintenant il avait le sentiment que ce qu'il aurait pu faire dans la confusion qui avait suivi l'armistice devenait de jour en jour plus difficile.

Il avait des amis, Basson par exemple. Ce dernier lui ferait obtenir une mission quelconque, un passeport. Une fois hors de France, Bridet se débrouillerait bien. L'Angleterre n'était tout de même pas inaccessible.

« Il faut absolument que je voie Basson », répéta-t-il. Il n'aurait qu'à cacher son jeu. Il dirait à tous qu'il voulait servir la Révolution nationale.

« Est-ce qu'on me croira? » se demanda-t-il. Il venait de se rappeler qu'il avait beaucoup parlé, que pendant longtemps il ne s'était pas gêné de dire ce qu'il pensait, qu'encore aujourd'hui il lui arrivait de ne pouvoir se retenir. Jusqu'à présent, cette loquacité n'avait pas paru tirer à conséquence, mais voilà que tout à coup, au moment d'agir, il lui apparaissait que le monde entier connaissait ses projets. Il pensa alors, pour se redonner du courage, qu'au fond les gens ne nous jugent pas d'après ce que nous avons dit – eux-mêmes ont dit tant de choses – mais d'après ce que nous disons dans le moment présent. Il n'avait qu'à marcher à fond pour le Maréchal. C'était un homme merveilleux. Il avait sauvé la France. Grâce à lui, les Allemands avaient du respect pour nous. Ils surmontaient leur victoire. Nous, nous surmontions notre défaite, ce qui permettait aux deux peuples de se parler presque d'égal à égal. Voilà ce qu'il fallait dire. Quand on se trouvait en présence d'un excité, on pouvait même aller plus loin. Si chaque Français scrutait au fond de lui-même, s'il était de bonne foi, il devait bien reconnaître qu'il avait éprouvé un immense soulagement à la signature de l'armistice.

« Vous étiez sur les routes et maintenant vous êtes chez vous », avait dit le Maréchal. Bridet n'avait qu'à dire la même chose. Il ne devait avoir aucun scrupule à tromper des gens pareils. Il pouvait leur raconter n'importe quoi. Plus tard, quand il aurait rejoint de Gaulle, il se rattraperait.

Une fois habillé, il sortit. A cent mètres de là, il entra dans un autre hôtel pour rendre à sa femme l'habituelle petite visite matinale.

La fameuse affiche représentant un drapeau tricolore au milieu duquel était dessinée la tête du Maréchal un peu de trois quarts, par modestie, volontairement affinée, avec un faux col empesé, un képi sans la moindre inclinaison et cette expression de profonde honnêteté, de légère amertume, de fermeté n'excluant pas la bonté, que les mauvais artistes savent si bien rendre, cachait la grande glace centrale.

Yolande avait également trouvé une chambre. Cette dernière, comme celle de son mari, était trop petite pour qu'on pût y coucher à deux. Bridet n'en était d'ailleurs pas trop mécontent. Il était dans un tel état d'abattement qu'il préférait être seul. Il avait beaucoup aimé sa femme, mais depuis l'armistice, sans qu'il s'en rendît compte nettement, il s'était un peu détaché. Elle avait tout à coup des volontés, des désirs qui n'étaient plus les siens. Elle avait été frappée, elle aussi, par la catastrophe et elle semblait découvrir maintenant qu'il y avait dans la vie des choses autrement importantes que la bonne entente dans un ménage.

Elle s'inquiétait pour sa famille restée à Paris, elle qui pendant des années ne s'était pas souciée d'elle. Elle était impatiente de revoir des gens qui jusqu'alors lui avaient été indifférents. Elle parlait sans cesse de son petit magasin de modes de la rue Saint-Florentin, de son appartement, comme si elle y avait vécu seule. Bridet avait senti qu'il était devenu peu à peu à ses yeux, non pas un étranger, mais un de ces êtres qu'on néglige un peu car, malgré l'amour qu'ils nous portent, ils ne peuvent rien pour nous. Et au fond de son cœur, il estimait qu'elle avait raison de le juger ainsi. En effet, il ne pouvait rien pour elle. Tant qu'il y avait eu une armée, en en faisant partie, il avait défendu sa femme. A présent, il ne la défendait plus. Il ne pouvait pas aller à sa place solliciter un ausweiss, il ne pouvait pas lui trouver une simple chambre, ni un taxi, il ne pouvait pas envoyer d'argent à sa famille de Paris, ni s'occuper du magasin, il ne pouvait absolument rien. Elle le savait et, tout doucement, elle prenait l'habitude de ne compter que sur elle-même.

Il s'assit près d'elle. Jusqu'à présent, il n'avait jamais fait la plus petite allusion à son désir de partir.

– Écoute, Yolande. Il faut que je te parle sérieusement.

Elle le regarda sans paraître remarquer qu'il était plus grave que d'habitude. Il y avait du monde dans le hall. Il aurait fallu parler à voix basse, en se retournant à chaque instant.

– Viens là-bas, dit Bridet. Nous serons plus tranquilles.

Yolande se leva. Ils allèrent s'asseoir côte à côte dans le fond du hall.

– J'ai réfléchi toute la nuit, dit Bridet. Il faut que j'aille voir Basson.

Yolande garda le silence. Bridet s'échauffa. Il en avait assez. Il regrettait de ne pas l'avoir fait plus tôt. A présent sa décision était prise. Il irait voir Basson. Il aurait l'air de lui parler franchement. Il lui dirait qu'il admirait le Maréchal... Il lui demanderait son appui. Basson était un vieux camarade. Il ne le lui refuserait pas. Mais nous disons tant de choses quand nous passons des mois ensemble mécontents et misérables, nous faisons tant de projets sans que rien ne change à notre vie, que lorsque nous prenons une décision, nous nous apercevons tout à coup que personne n'a de raison de nous croire.

– Tu es fou! dit-elle.

Bridet lui répondit qu'il avait bien réfléchi.

– J'admire le Maréchal, répéta-t-il à haute voix.

– Personne ne te croira, lui répondit Yolande à

l'oreille. Tu t'imagines donc que les gens sont des idiots. Tu vas te faire arrêter. Tout le monde sait ce que tu penses. Tu l'as assez dit. Pourquoi t'entêtes-tu? Pourquoi ne veux-tu pas que nous rentrions à Paris?

Tout en marchant au hasard à travers la ville, Bridet se demandait maintenant s'il devait ou non aller voir Basson. Il y a des comédies qu'on ne peut jouer même quand notre avenir en dépend. Nous ne pouvons pas dire que nous aimons ces mêmes gens que nous haïssons. Le ferions-nous qu'on s'apercevrait que nous mentons. Que faire alors? Rentrer à Paris? Suivre Yolande? Montrer bien sagement ses papiers aux Boches en passant la ligne de démarcation? Voir la croix gammée flottant partout sur un Paris désert? Yolande disait que le fait de vendre des chapeaux aux Allemands pour qu'ils les envoient à leur femme n'était pas d'une mauvaise Française. Elle gagnerait beaucoup d'argent et lui qui avait toujours prétendu ne pas avoir de tranquillité pour écrire un livre, eh bien, il l'aurait cette tranquillité... C'était écœurant.

Yolande l'aimait pourtant. Elle était prête à faire pour lui ce qu'elle n'eût jamais fait avant. Elle trouvait qu'aujourd'hui c'était aux femmes à jouer le rôle principal, à se mettre en avant, à faire oublier les hommes, afin de les garder intacts pour le jour où ils pourraient reprendre les armes.

Le soir, dans sa chambre, Bridet sentit qu'il avait de la fièvre. Il était brûlant. De temps en temps, il croyait qu'il allait frissonner. Mais il ne frissonnait pas. Ce malaise ressemblait à un autre dont la première apparition datait d'un mois. Il lui semblait continuellement qu'il allait avoir un vertige. Il cherchait déjà des yeux un banc, une chaise. Mais sans qu'il allât mieux pour cela, il n'avait aucun vertige.

Dehors le mistral s'était mis à souffler avec une force extraordinaire. Le sirocco, le mistral, la bise genevoise, enfin tous ces vents redoutés ont quelque chose qui les différencie des vents ordinaires, c'est que tout à coup, dans une maison tranquille, des portes de placard, des fenêtres donnant sur des petites cours, des objets même que l'on croyait à l'abri, se mettent à trembler.

Bridet percevait des bruits mystérieux. « Que faire ? » se demandait-il. Il croyait entendre quelqu'un derrière la porte. Il ne pouvait s'empêcher de penser à Basson. C'est peut-être la chose la plus désagréable qui puisse arriver à un homme orgueilleux que de dépendre d'un ami qu'il a négligé, auquel il n'a jamais cru et à qui les événements, en mettant notre sort entre ses mains, semblent donner raison contre nous.

Bridet s'endormit enfin. Le lendemain matin il prenait le train.

CHAPITRE 2

Le bureau de Paul Basson se trouvait dans une chambre de l'hôtel des Célestins aux deux fenêtres de laquelle pendaient des rideaux de mousseline blanche. Paul Basson était depuis un mois attaché à la Direction générale de la Police nationale. Quand Bridet entra, il se leva et vint serrer la main de son ancien camarade d'études et de journalisme.

Bridet éprouva alors cette impression de gêne que nous donne un homme avec lequel nous avons vécu dans la même dépendance, quand nous le retrouvons tout à coup actif et puissant. Il n'y avait aucun papier, aucun dossier sur le bureau, mais un bouquet d'œillets de serre dans un vase de cristal. Bridet s'assit dans un fauteuil. Jamais Basson n'avait embelli sa chambre de garçon et maintenant, dans son bureau de policier, des fleurs embaumaient l'air. Ce détail trahissait un inquiétant état d'esprit.

– Je suis venu te voir, dit Bridet, pour te demander un appui.

– C'est tout à fait normal. Qu'est-ce que tu deviens ?

– Pas grand-chose.

Basson jeta un coup d'œil par la fenêtre sur les

pelouses et les arbres du parc. On n'eût jamais dit que l'armistice datait à peine de quatre mois. Comme un veuf courageux, il avait refait sa vie. La maison était encore neuve. On s'y sentait un peu comme dans une exposition, la veille de l'inauguration. C'était naturel après un si grand malheur.

– Voilà de quoi il s'agit, dit Bridet. Je veux servir mon pays. Je veux être utile. Le Maréchal a pris nos destinées en main. Nous n'avons plus le droit de nous demander si nous aimons ou si nous n'aimons pas celui qui nous gouverne. Il faut le prendre tel qu'il est. Quant à moi, je suis persuadé que Pétain nous sauvera tous.

A ce moment Basson eut une expression assez inattendue de mauvaise humeur. Il prononça deux ou trois mots sans suite, s'arrêta, puis dit enfin avec une grande froideur :

– Ne parle pas du Maréchal.

Bridet le regarda avec surprise.

– Pourquoi ?

– C'est une remarque que je me permets de te faire. Ne parle jamais du Maréchal. Ne dis jamais qu'il faut le suivre. On croira que tu es contre lui. Et cela me serait très désagréable.

Bridet comprit qu'il avait été maladroit. Du moment qu'il allait voir Basson, il était évident qu'il était pour le gouvernement. Toute explication était superflue et avait une odeur de justification.

Basson alla s'asseoir derrière son bureau.

– Qu'est-ce que tu attends de moi ? demanda-t-il comme si rien ne s'était passé.

– Je ne sais plus comment te parler... Je ne pensais pas mal faire...

16

– Je t'en prie, laissons cela. Qu'est-ce que tu attends de moi ?

– Je t'ai dit que je voulais servir mon pays. Et j'ai pensé que je pouvais par exemple être envoyé au Maroc, travailler à resserrer les liens, comme on dit, entre la Métropole et l'Empire.

– Pourquoi : « comme on dit » ?

– Je ne sais pas. Resserrer les liens est une expression banale. « Comme on dit » te choque ?

– Et pourquoi particulièrement au Maroc ?

– Au Maroc ou ailleurs. Cela m'est égal.

– Tu veux t'en aller ?

– Non. J'ai simplement l'impression que je ne suis ici d'aucune utilité.

– Tu te trompes. Tu peux être très utile. Nous avons une tâche immense à accomplir. Nous ne serons jamais trop nombreux pour reconstruire la France.

– Je suis de ton avis.

– Toi ! de mon avis !

– Oui.

Basson regarda son ami comme un prêtre regarderait un acteur de café-concert.

– Je ne savais pas que tu étais si préoccupé de l'avenir de la patrie, continua Basson.

– Je ne l'étais pas, mais il s'est passé des événements qui m'ont changé.

– Alors, tu veux reconstruire la France !

– Je veux faire ce que je peux.

– Au fond, tu ne sais pas très bien ce que tu veux faire.

– Tu as peut-être raison...

– Mais il y a une chose que tu sais, c'est que tu veux quitter la France.

17

– Non.

– Tu viens de le dire toi-même.

– Je viens de dire que je voulais servir mon pays.

Basson tenait un porte-mine entre ses doigts. Il dessinait des majuscules sur une enveloppe. Et tout en parlant, il paraissait profondément absorbé par cette occupation.

– Tu veux vraiment servir ton pays?

– Naturellement. Si je ne le voulais pas, je ne serais pas venu te trouver. J'aurais été tranquillement vivre dans le Berry, chez ma mère.

Basson parut frappé par cet argument.

– Alors, tu veux partir! dit-il.

– Je crois qu'il est de l'intérêt du gouvernement d'envoyer des gens sûrs aux colonies.

Basson dessinait toujours.

– Et Yolande?

– Elle est à Lyon. Nous sommes tous les deux à Lyon. Je te l'ai déjà dit.

– Elle te suivrait?

– Oh, je ne le crois pas. Tu sais qu'elle a un magasin. Elle veut rentrer à Paris.

– Et toi, tu ne veux pas?

Bridet se rendit compte qu'il devait mentir à nouveau.

– C'est ce que je ferai peut-être si je m'ennuie chez ma mère et si je ne pars pas.

– Ce que je ne comprends pas c'est pourquoi tu ne collabores pas aux journaux. Ils sont justement tous à Lyon.

En prononçant ces mots, Basson ferma les yeux à plusieurs reprises, comme s'ils lui faisaient mal.

– Ça me dégoûte un peu, dit Bridet. Tous ces journaux jouent un double jeu.

Basson releva la tête pour la première fois.

– Qu'est-ce que tu veux dire ? demanda-t-il.

Bridet n'osa pas parler du Maréchal.

– Ils ne sont pas sincères, répondit-il.

– Tu veux dire qu'ils font semblant d'être avec nous et qu'ils ne le sont pas.

– C'est ça.

– Et ça te dégoûte ?

– Naturellement. Je ne serais pas dans ton bureau sans cela.

– Ça te dégoûte vraiment ?

– Je viens de te le dire.

– Oui, je sais, on peut le dire.

Bridet éprouva un malaise. Il regarda autour de lui. Pourrait-il sortir tout à l'heure ? Ce bureau n'était-il pas celui d'un des chefs de la police ? Basson était-il vraiment un ami ?

– Alors c'est au Maroc que tu veux aller ? demanda ce dernier.

– Oui, je veux aller au Maroc, répondit Bridet, sans penser à ce qu'il disait.

N'aurait-il pas dû dire plus nettement, tout à l'heure, qu'il était pour Pétain ? La remarque de Basson l'avait arrêté. Il sentait qu'ici les paroles n'avaient aucune valeur. C'était un peu comme dans un tribunal. Il fallait pourtant mettre les choses au point.

– Tu m'as dit tout à l'heure, continua Bridet, que cela t'était désagréable que je parle de Pétain. Mais tu oublies qu'il y a longtemps que nous nous sommes vus. Tu ne sais pas ce que je pense. Et je veux que tu le saches.

Basson sourit.

– Je constate que tu es nerveux.

– Il y a de quoi. Tu as l'air de douter de moi.

– Moi? Douter de toi? Tu te l'es imaginé. Tu penses bien que si j'avais le moindre soupçon sur ta sincérité, tu ne serais pas ici dans mon bureau.

Bridet sentit une contraction au creux de l'estomac. Par réaction instinctive il sourit à son tour.

– Tu as raison. Je suis nerveux. J'ai eu tellement d'ennuis...

– Oui, et quels ennuis! Je sais ce que c'est.

Basson se leva. Comme s'il s'apprêtait à sortir, il mit ses cigarettes et son briquet dans sa poche. Puis il se rassit. Bridet se leva à son tour.

– Ne t'en va pas déjà, dit Basson. J'ai quelque chose d'important à te dire.

Bridet se rassit. Il regarda son ami avec une légère inquiétude.

– Quelque chose de très important, continua Basson.

– Quelle chose? demanda Bridet.

– Je veux te donner un conseil, un conseil d'ami.

– Tu veux me donner un conseil?

– Oui. Et ce conseil, c'est : fais attention.

Bridet sentit sa salive devenir amère.

– Pourquoi? demanda-t-il en feignant un profond étonnement.

– Je te le répète : fais attention.

– Mais pourquoi?

– Fais attention et ne fais pas l'imbécile.

– Il y a un danger?

– Il va t'arriver une histoire.

– A moi?

– Oui, à toi.

– Quelle histoire? Pourquoi?

– Tu es assez intelligent pour me comprendre.

Maintenant parlons d'autre chose. Est-ce que Yolande ne va pas venir te rejoindre ici?

– Quelle histoire? Il faut que tu me dises de quoi il s'agit.

– Non, non, parlons de Yolande.

A ce moment, la petite sonnerie sourde du téléphone intérieur retentit. Basson parla quelques instants et comme si Bridet l'interrompait, il lui fit signe à plusieurs reprises qu'il ne fallait pas insister, qu'il ne lui dirait rien.

– Faites entrer, dit-il enfin avant de raccrocher.

Puis s'adressant à Bridet il continua :

– J'ai quelqu'un à recevoir. Veux-tu sortir et attendre un instant au salon. Je te ferai appeler dès que je serai libre.

– Tu m'expliqueras ce que tu as voulu dire.

– Non, non, je te l'ai déjà dit, nous parlerons de Yolande, de nos amis, de tout, mais pas de politique.

– C'est à cause de la politique?

– Ne me pose pas de questions, je ne veux pas te répondre.

Bridet s'assit dans le salon où déjà quatre ou cinq personnes attendaient. Il avait le front couvert de sueur. Ses mains tremblaient légèrement. Il les posa sur ses jambes pour qu'on ne le remarquât pas. Elles continuèrent à trembler. Il les cacha sous son chapeau. Qu'avait voulu dire Basson? Il se le demandait sans arrêt.

« Je n'ai rien fait, pensait-il. Évidemment, j'ai laissé entendre à beaucoup de gens que je voulais aller en Angleterre, mais ces gens voulaient y aller également.

Et puis, ils ne sont pas si nombreux. Ils sont peut-être une dizaine. En admettant qu'il y ait eu des racontars, qu'un dossier existe sur moi, Basson, qui ne s'attendait pas à ma visite, n'avait aucune raison de demander à le voir. On lui a peut-être dit que j'étais gaulliste. Mais personne n'a pu lui en donner la preuve. Moi-même, je n'ai jamais dit nettement que j'étais gaulliste. J'ai dit que j'allais en Angleterre pour rejoindre les Forces françaises libres. C'est tout. Basson a plutôt senti que je n'étais pas pour le Maréchal. Quand il m'a dit qu'il allait m'arriver une histoire, il a sans doute voulu dire que je perdais mon temps à vouloir me faire passer pour ce que je n'étais pas, que cela ne prenait pas et que finalement cette comédie me jouerait un sale tour. Il croit peut-être que je viens espionner Vichy. Ou alors, et ça, ce serait beaucoup plus grave. Lui, Basson, serait gaulliste au fond de son cœur. Il aurait voulu me faire comprendre que mon admiration de la Révolution nationale pourrait, un jour, me coûter cher. »

Bridet avait beau se creuser la tête, il n'arrivait pas à comprendre à quelle histoire Basson avait fait allusion.

« Je lui demanderai tout à l'heure et j'insisterai jusqu'à ce qu'il me réponde et s'il ne veut pas me répondre, eh bien, ce sera fini entre nous. Je trouverai bien à partir d'une autre façon. Personne n'est indispensable. »

Bridet était en train de réfléchir lorsqu'un homme nu-tête, assez jeune, entra dans le salon.

– Monsieur Bridet? demanda-t-il.

– C'est moi, c'est moi, dit Bridet en dressant le torse.

– Voulez-vous être assez aimable de me suivre, continua le jeune homme.

– Certainement, dit Bridet assez fier vis-à-vis des personnes qui attendaient et qui étaient arrivées avant lui, de passer le premier.

– M. Basson a terminé? demanda Bridet dans le couloir.

– Je ne l'ai pas vu.

– Comment! ce n'est pas lui qui vous envoie? demanda Bridet pris soudain d'un tremblement.

– Je ne sais pas.

– Mais où allons-nous? Je ne peux pas m'éloigner. M. Basson m'attend.

– Nous allons tout près, aux Affaires algériennes.

– Ah! bon, dit Bridet en poussant malgré lui un profond soupir.

Maintenant tout s'expliquait. Basson était quand même un véritable ami. Il l'avait un peu inquiété, sans raison, pour s'amuser, par caprice. Bridet se rappela à ce moment que Basson avait toujours agi de cette façon. Il aimait à refuser ce qu'on lui demandait, à paraître plein de réticences et de mystère et puis, quand on ne comptait plus sur lui, on s'apercevait qu'il avait fait au-delà de ce qu'on attendait de lui. Décidément, il n'avait pas changé. « Fais attention, il va t'arriver une histoire, attends-moi dans le salon... » Et puis, il faisait le nécessaire.

Bridet et l'employé suivirent un long couloir, coupé de portes sur lesquelles il y avait des numéros en émail. Quand l'une d'elles s'ouvrait, on apercevait des fonctionnaires, des machines à écrire et, le long des murs, des piles énormes de paperasses et de dossiers qui avaient fait toute la retraite et auxquels

devaient certainement manquer des pièces importantes.

– Entrez, Monsieur, dit l'employé en ouvrant une
porte et en s'effaçant avec une politesse un peu
machinale.

Bridet se trouva alors dans une pièce, couverte
d'un tapis beige cloué. Il y avait juste une table et
une chaise.

– Asseyez-vous, Monsieur, je vais voir si le directeur
peut vous recevoir.

– Quel directeur ? demanda Bridet.

– M. de Vauvray, le directeur.

– Ah ! bon, eh bien, je vais m'asseoir, dit Bridet qui
éprouvait de nouveau un malaise.

Quelques minutes s'écoulèrent.

« Il y a tout de même quelque chose que je ne
comprends pas très bien, pensa Bridet. Basson m'a
prié d'aller l'attendre au salon pendant qu'il recevait
un visiteur. Où a-t-il pris le temps de parler à ce
M. de Vauvray ? Tout cela est un peu rapide, je
trouve. »

Une porte de communication avec la pièce voisine
s'ouvrit et l'employé sans s'avancer fit signe à Bridet
de venir. Cette autre pièce était beaucoup plus grande
et avait un aspect de bureau particulier.

M. de Vauvray, car c'était lui certainement, tournait
le dos à la porte. Il avait les mains dans ses poches.
Il regardait par la fenêtre, comme si, par timidité ou
par crainte de paraître embarrassé, il aimait mieux
ne voir ses visiteurs que lorsqu'ils s'étaient avancés
vers son bureau.

– Monsieur le directeur, voici M. Bridet, dit l'employé.

Il se retourna, eut un petit air surpris de personne

qui n'avait entendu aucun bruit, tira les mains de ses poches et alla à la rencontre du visiteur avec un sourire.

– Ah! vous voilà, dit-il. Je suis enchanté de faire votre connaissance. Asseyez-vous, allumez une cigarette.

Puis, se tournant vers l'employé, il ajouta :

– Vous pouvez vous retirer.

Le directeur était un homme jeune, 25 ans au plus, mais, contrairement aux fonctionnaires de cet âge, il n'avait pas apparemment trop l'air de se prendre au sérieux. Il était familier, bon enfant, on sentait qu'il devait passer pour un original dans son entourage. C'était rassurant.

– Je suis heureux, Monsieur, de vous connaître, répéta-t-il, mais en scandant cette fois ces mots de gestes destinés à en souligner la valeur.

– Moi aussi, Monsieur, dit Bridet.

– Notre ami Basson m'a longuement parlé de vous. (Quand? se demanda encore Bridet.) Inutile de vous dire que je suis à votre entière disposition, mais il faut que vous sachiez tout de suite que le Maroc ne dépend pas de l'Intérieur. Il dépend des Affaires étrangères. Si vous tenez à aller en Algérie, c'est à moi qu'il faut vous adresser. Et, dans ce cas, je vous le répète, je suis à votre entière disposition.

– Vous êtes trop aimable, dit Bridet.

– C'est naturel. Vous êtes un ami de M. Basson. Moi-même, je suis son ami. Si nous pouvons vous être utile, nous en serons très heureux. Quand voulez-vous partir?

– Dans une quinzaine de jours. Je ne suis pas tellement pressé...

– Tiens, je croyais au contraire que vous étiez très pressé, il me semble que M. Basson m'a dit que...

– Non, justement pas. Je ne suis pas pressé du tout. Je ne partirai d'ailleurs que si j'ai là-bas la possibilité de faire quelque chose. Justement, je dois reparler de cela à Basson.

– Dans ces conditions, rien ne presse.

– Non, rien ne presse.

– Eh bien, savez-vous ce que nous allons faire? Puisque vous êtes là, vous allez passer dans la pièce à côté, vous allez donner au jeune homme que vous avez vu tout à l'heure tous les renseignements qui nous sont nécessaires, oh! il ne s'agit pas de grand-chose, ce sont de simples formalités, ensuite nous ferons tout ce qui doit être fait et vous n'aurez qu'à venir quand vous voudrez chercher votre sauf-conduit. Vous voyez, rien n'est plus simple.

En quittant le bureau de l'employé, M. Bridet demanda à l'appariteur de l'annoncer à M. Basson. Il remplit une fiche et attendit. L'appariteur revint peu après. Il avait la fiche à la main.

– M. Basson est sorti, dit-il.

Bridet alla s'asseoir au bord de l'Allier. La journée était magnifique. Les arbres commençaient à roussir. Le ciel était d'un bleu dense, lourd, et le soleil dans ce bleu avait un éclat plus grand.

« Au fond, j'ai obtenu ce que je voulais », pensait Bridet. Mais il ne se réjouissait pas. Il avait le sentiment d'une menace pesant sur lui, une menace à laquelle il ne pouvait se soustraire, car il était en quelque sorte prisonnier de la démarche qu'il venait de faire. Il ne pouvait pas partir. Il fallait qu'il attendît les papiers qu'on était en train d'établir, sans quoi sa conduite paraîtrait bizarre. Mais pendant qu'il attendait, on savait où il était, on pouvait venir le chercher, il était à la discrétion de la police. Et le plus pénible était qu'il fallait avoir l'air de ne pas s'en apercevoir, qu'il fallait avoir l'air de jouer la comédie de la conscience tranquille, de ne pas se trahir, de paraître se réjouir de ces quelques jours d'attente comme de vacances...

« Et quand je pense que j'ai été assez bête pour dire que je n'étais pas pressé. »

Il songea un instant à retourner au ministère. Mais rien n'est plus gênant que de changer d'avis vis-à-vis de gens qui nous ont fait une gentillesse.

« Et si je partais quand même, et si je laissais tout tomber! » murmura-t-il soudain.

Non, ce serait vraiment trop enfantin, au moment où il allait réussir, de s'abandonner à des craintes imaginaires. Il n'arriverait jamais à rien. D'ailleurs, bientôt, il n'aurait plus d'argent. Il y avait déjà trois mois que cette vie durait parce que, chaque fois qu'une occasion s'était présentée, il avait été pris de peur. Le plus dur était fait à présent. Il était venu à Vichy. On lui avait accordé ce qu'il demandait, il n'avait qu'à attendre.

Il rentra à son hôtel. Mais à la vue d'une lettre dans sa case, il se troubla. En dehors des gens du ministère, il n'avait vu personne et personne ne savait qu'il habitait là. Qui pouvait lui avoir écrit si vite? Ce ne pouvait être une lettre venue par la poste. Quelqu'un avait porté cette lettre. Mais qui et pourquoi?

Il prit la lettre. Tout à coup, il sentit un immense

soulagement. Elle ne lui était pas adressée. La propriétaire de l'hôtel avait dû se tromper de case.

– Vous m'avez mis une lettre qui n'est pas pour moi, dit Bridet sur un ton désagréable.

La propriétaire regarda l'enveloppe. Il était si nerveux que, pendant un instant, il craignit qu'elle ne lui affirmât qu'elle ne s'était pas du tout trompée, que cette lettre lui était bien destinée. Et quand enfin elle s'excusa, il ressentit de nouveau un profond soulagement.

CHAPITRE 3

Le matin, au réveil, Bridet eut tout à coup l'impression qu'il avait été maladroit. Sa volonté de partir était si grande qu'il n'avait pas songé un instant à la satisfaire par des moyens détournés. Il avait été droit au but. Son premier geste avait été de demander un passeport, un sauf-conduit. Il avait bêtement dévoilé son jeu. Il aurait dû d'abord commencer par prendre contact avec les gens qu'il connaissait, parler de son désir d'être utile, manœuvrer de façon qu'on lui dît : « Vous devriez aller en Afrique, Bridet... » Il se serait laissé faire violence. Ce n'eût même pas été lui qui eût demandé les papiers. Du cabinet du Maréchal, on aurait téléphoné à Basson : « Voulez-vous être assez aimable de vous occuper de M. Bridet. Nous l'avons chargé d'une mission à Rabat. C'est urgent. » A ce moment seulement, il aurait été voir Basson. L'entretien eût été tout différent. Il aurait dit d'un air ennuyé : « Ils sont terribles, nos amis. J'aurais quand même voulu avoir le temps de faire un tour dans le Berry... »

En s'habillant, Bridet réfléchissait à la façon de rattraper sa maladresse. Au fond, les gens avaient autre chose à faire que de suivre par le détail ses faits et gestes. S'il rendait visite aujourd'hui à Laveyssère, par exemple, et qu'il obtînt de lui une mission, dans une semaine, quand il retournerait à l'Intérieur, Basson ne s'apercevrait de rien. Bridet ferait semblant d'avoir été déjà chargé de cette mission quand il était venu la première fois. S'il voyait un peu de surprise chez Basson ou chez Vauvray, il dirait avec naïveté : « Ah! je croyais que vous étiez au courant. »

D'ailleurs, on n'en arriverait pas là. Les gens ont trop de préoccupations personnelles. Ils ne retiennent que ce qu'il y a de marquant dans nos actes.

Il s'était mouillé les cheveux et il avait laissé son feutre défraîchi à l'hôtel. Il était ainsi plus dans le ton car, depuis l'armistice, une apparence négligée faisait très mauvais effet. On avait un peu l'air de n'avoir pas réagi dans le malheur. C'était donc qu'on n'était pas tellement emballé par l'État français.

Comme il n'était que dix heures, Bridet se promena dans les rues de Vichy. Une auto passa. C'était la troisième de suite dont l'élégant conducteur ne tenait le volant que d'une main et laissait l'autre pendre négligemment au-dehors. Le pouvoir s'était déjà solidement installé. Son premier souci avait été de lutter contre le débraillé. « Ce n'est pas le moment, pensa Bridet, de se promener avec un verre de trop dans le nez. »

Un régime pourri s'était effondré. A sa place surgissaient enfin l'ordre et la propreté. Les soldats, qui montaient la garde devant les ministères ou leurs ridicules annexes, portaient des gants blancs montant jusqu'aux coudes, et le casque sans visière des unités de chars. « On se donne le genre troupes d'élite », murmurait Bridet en passant devant eux et en mangeant la moitié des mots car il ne savait pas s'il voulait être ou ne pas être entendu.

Comme il flânait dans un passage, il entra dans une sorte de petit bazar élégant où on vendait des souvenirs de Vichy, des cartes postales, des gobelets pour la cure dans leur étui d'osier bruni. Il demanda assez théâtralement à voir les francisques. C'était pour faire un cadeau à une jeune fille. Il en voulait une en verre de couleur si possible.

– Nous n'avons jamais eu cet article, dit la vendeuse.

– Comment ça se fait-il? s'écria Bridet en prenant un air indigné. J'en ai vu à Clermont-Ferrand, à Lyon, à Saint-Étienne. Et il n'y en aurait pas ici, à Vichy?

– Non, Monsieur, mais nous avons beaucoup d'autres articles. Cette broche ne vous plairait-elle pas?

– Oh! quelle idée charmante! C'est la première fois que je vois ça, dit Bridet en examinant dans tous les sens une petite broche qui représentait le képi et le bâton du Maréchal avec les sept étoiles. J'en voudrais deux. Et est-ce que vous n'auriez pas aussi une petite photo un peu originale de Pétain, que je pourrais garder sur moi?

– Non, Monsieur. Nous n'avons que les portraits que vous avez vus en vitrine, ou alors les cartes postales que tout le monde connaît.

– C'est ennuyeux, dit Bridet.

A ce moment, il remarqua que la vendeuse se retenait pour ne pas éclater de rire. Tout à coup, elle disparut et une autre vendeuse vint la remplacer.

Bridet fit semblant de ne s'être aperçu de rien,

mais dès qu'il fut sorti du magasin, il dit à haute voix, de façon à être entendu des passants : « Décidément, les Français n'ont encore rien compris. L'avenir leur réserve bien des désillusions. »

Il était encore un peu tôt pour téléphoner à Laveyssère. « Il faut quand même être tombé bien bas pour en être réduit à jouer une pareille comédie », pensa Bridet. Il alla s'asseoir dans le parc, à la terrasse de la Restauration. Il reconnut des parlementaires. Ceux-ci se promenaient en se tenant par le bras. Ils s'arrêtaient, se lâchaient, faisaient des gestes en parlant, se reprenaient. Ils ne paraissaient pas tellement frappés par les événements. Des généraux passaient également, d'un pas rapide.

A dix heures et demie, Bridet téléphona à l'Hôtel du Parc. Il eût plus vite fait d'y aller, mais le souvenir de sa visite à Basson lui avait laissé trop mauvaise impression. Il préférait inviter Laveyssère à déjeuner.

La confiance qu'on avait témoignée à celui-ci, en lui permettant de faire partie de l'entourage immédiat du Maréchal, venait de raisons autrement sérieuses et honorables que celles qui jouaient avant la guerre. Aucune puissance occulte n'avait favorisé le jeune médecin bordelais. Ce dernier n'était naturellement ni franc-maçon, ni juif, ni communiste. Il était simplement le neveu du frère du général Feutrier, lequel général était un vieux camarade de promotion du Maréchal, celle de 1875.

A une heure moins le quart, ils se rencontrèrent à la brasserie Lutetia. Laveyssère n'avait pas comme Basson un pouvoir effectif, mais il en avait peut-être plus par la facilité d'approcher le Maréchal et surtout par d'autres liens de famille qui l'apparentaient par les femmes au docteur Ménetrel.

Après avoir raconté ce qui lui était arrivé pendant la retraite, aventure qu'il appelait « son odyssée », Laveyssère parla du Paris d'après l'armistice où il était retourné chercher ses costumes. Ce qu'il retenait surtout de son voyage, c'était que les Allemands se fussent installés dans les plus beaux hôtels : le Ritz, le Crillon, le Claridge. Il raconta l'effet pénible que cela lui avait produit de voir tous ces officiers boches se considérer comme chez eux dans ces hôtels si élégants. C'était écœurant. Puis il parla d'un défilé de troupes allemandes qui avait duré six heures. « Et qu'est-ce qu'ils avaient comme matériel ! »

Bridet demanda s'ils avaient l'air arrogant. Laveyssère réfléchit un instant, comme un homme qui ne veut rien dire qui ne soit certain. En toute sincérité, il ne pouvait pas dire que les Allemands étaient arrogants. Ils avaient plutôt un air triste assez inattendu chez des vainqueurs. On eût dit qu'ils avaient conscience que ce n'était pas la vraie France, la nôtre, qu'ils avaient battue, et qu'ils éprouvaient une certaine gêne vis-à-vis de la population qui, elle, était cette vraie France. « La vérité, je dois le dire, continua Laveyssère, ces gens-là ne comprennent pas pourquoi nous leur avons déclaré la guerre. » Ils avaient toujours un profond respect pour notre civilisation. Ils se rendaient bien compte que leur victoire si rapide ne nous avait pas fait perdre ce par quoi nous leur étions supérieurs.

Il raconta ensuite une foule de petites anecdotes desquelles il ressortait que les Allemands étaient surtout préoccupés de faire bonne impression sur nous, de nous montrer qu'ils savaient vivre, eux aussi. Mme James Laveyssère avait été embrassée en plein jour, avenue des Champs-Élysées, par un soldat ivre. Un officier était intervenu et « je vous prie de croire, poursuivit Laveyssère, que cette incartade a dû coûter cher à ce soldat ». Les Allemands, certes, étaient sévères, mais ils en avaient le droit car ils l'étaient également pour eux-mêmes.

– Au fond, dit Bridet, ils ne sont pas ce qu'on nous a dit.

– Oh! pas du tout...

– Je m'en doutais.

– Trop de gens avaient intérêt à nous les montrer comme des barbares qui coupent les poignets des petits enfants.

– Les Juifs et les communistes, dit Bridet.

Il se sentait plus à l'aise qu'avec Basson. Laveyssère n'avait jamais brillé par l'intelligence. L'atmosphère du restaurant, assez parisienne, assez avant-guerre, le fait que Laveyssère paraissait tellement sûr de ce qu'il disait, enhardissaient Bridet. Il pensa qu'il devait profiter de l'occasion pour prendre plus nettement position qu'avec Basson. On le croirait cette fois.

– Heureusement, dit Bridet, que nous avons maintenant à notre tête des hommes qui comprennent. Ah! si nous les avions eus avant...

– Vous avez raison, Bridet.

– Il faut s'entendre avec les Allemands. Je le dis depuis 1934. Personnellement, j'ai toujours eu de la sympathie pour eux. Ce sont quand même des gens qui ont des qualités extraordinaires. On a beau ne pas les aimer, il faut bien le reconnaître, ils ont de grandes qualités. Je crois d'ailleurs qu'aujourd'hui personne n'en doute.

Laveyssère ne répondit pas. Bridet, craignant un instant d'avoir été un peu loin, ajouta en souriant :

– J'aimerais quand même mieux qu'ils retournent chez eux.

Laveyssère sourit à son tour.

– Eux aussi, dit-il de l'air d'un homme qui a ses renseignements particuliers, ils aimeraient mieux être chez eux.

– Dans ce cas, nous nous entendrons rapidement.

Comme le ton de la conversation s'était adouci, Bridet crut le moment propice de parler de lui.

– En attendant, travaillons. Plus nous serons forts, plus nous saurons mettre de l'ordre dans notre maison, plus les Allemands nous respecteront. Notre Empire est un atout de premier ordre. Moi, personnellement, je ne vous cacherai pas que si je pouvais servir notre vraie France, je serais le plus heureux des hommes.

Comme Laveyssère ne semblait pas comprendre où Bridet voulait en venir, celui-ci eut le sentiment qu'il devait parler un peu plus de la Révolution nationale. Il était trop timide. Il manquait d'accent. Il refaisait la même faute qu'avec Basson. Parler des Boches, c'était très bien, mais il fallait parler aussi du Maréchal. « Qu'est-ce qui me retient donc toujours ? » se demanda-t-il. Il regarda Laveyssère. Celui-ci mangeait sans appétit. On sentait que les problèmes qui se posaient à lui le dépassaient, qu'il cherchait honnêtement à les comprendre. Bridet avait bu un peu plus que d'habitude. Il frappa légèrement sur la table pour attirer l'attention de Laveyssère.

– Nous parlons trop, dit-il brusquement. Nous ne devrions ouvrir la bouche que pour crier : « Vive la France nouvelle qui vient de naître ! »

Laveyssère alluma une cigarette. Il paraissait réfléchir. Puis, fixant son regard dans celui de Bridet, il dit avec une certaine amertume :

– Malheureusement, tout le monde ne pense pas comme nous. Les forces mauvaises n'ont pas désarmé.

Bridet eut le sentiment que tout allait très bien.

– Si elles existent toujours, nous n'avons qu'à les supprimer. L'intérêt de la France avant tout. J'irai vous voir un de ces matins et je vous dirai ce que je compte faire, dans ma modeste sphère, pour contribuer à notre salut.

– Mais certainement. Venez me voir quand vous voudrez. Nous tâcherons de mettre quelque chose sur pied.

A ce moment, Basson entra dans le restaurant. Il était accompagné d'un homme à barbe grise qui répondait assez bien à l'idée qu'on se fait d'un vieux républicain. Il tenait à la main un grand feutre noir à bords plats. Il avait un aspect un peu négligé qui détonnait dans ce restaurant. Basson s'approcha de la table, cependant que son compagnon attendait à quelques pas.

– Alors, toujours pour de Gaulle ? dit Basson en riant.

Bridet rougit. Laveyssère, qui s'apprêtait à demander à Basson s'il avait répondu à une certaine note de service, se tourna étonné vers Bridet.

– C'est un vrai gaulliste, un pur du gaullisme, un pur du degaullisme, continua Basson en tapant amicalement sur l'épaule de son camarade.

– Moi ? s'écria Bridet.

– Ça me surprend, dit Laveyssère.

– Oh ! mais c'est qu'il cache bien son jeu, poursuivit Basson toujours en riant.

Comme Bridet était visiblement troublé, il ajouta :

– Allons, allons, si on ne peut plus plaisanter...

Puis se tournant vers l'homme qui attendait à quelques pas :

– Approchez, Rouannet, que je vous présente un de mes vieux amis.

– Je suis très flatté, dit l'homme à l'apparence de vieux républicain, en s'inclinant avec respect.

– Mon ami Bridet est des nôtres. Il a un peu hésité, il a un peu cherché d'où venait le vent, mais il a enfin trouvé sa voie. N'est-ce pas, Bridet ?

– Je t'en prie...

S'adressant à Rouannet, Basson continua :

– Vous le reverrez, Rouannet. Il aura besoin de vous.

Puis, se tournant vers Bridet :

– C'est à lui que tu auras affaire. M. Rouannet est un précieux collaborateur.

– Je serai très heureux si je peux vous être utile, fit ce dernier, toujours avec beaucoup de respect.

Puis il s'éloigna par discrétion.

Quelques instants après, quand Bridet fut de nouveau seul avec Laveyssère, il dit :

– Quel type, ce Basson ! Ce ne sont pas des plaisanteries à faire en ce moment.

– C'est en effet plutôt de mauvais goût ! remarqua Laveyssère.

– S'il appelle ça être gaulliste que de venir à Vichy se mettre au service du Maréchal... Si un homme comme moi est gaulliste, alors je ne comprends plus, un homme à qui cette bande de crapules de communistes, de juifs, de francs-maçons a fait tout perdre... car ce sont eux les responsables, ce sont eux qui nous ont mis là où nous sommes... Mais j'espère bien qu'on leur fera payer... et cher. Ce ne sera jamais trop cher... Un homme qui était heureux... qui vivait tranquillement sans faire de mal à personne...

Bridet s'animait, il avait enfin trouvé l'accent.

– Moi! je serais gaulliste! Elle est bonne, celle-là! Après tout ce que cette clique a fait à mon pays... C'est incroyable qu'il ne se soit pas trouvé plus tôt des bons Français pour les mettre à la raison. Mais à présent, tout est changé. Fini la politique, le piston, la combine.

Comme Laveyssère se contentait de hocher la tête, Bridet, feignant d'avoir un tel dégoût pour tous ces traîtres qu'il ne pouvait même plus en parler, changea brusquement d'octave.

– Je ne veux pas me mettre en colère, dit-il.

– Je ne comprends pas, observa à ce moment Laveyssère, que vous ayez pris tellement au sérieux la plaisanterie de Basson.

Bridet ne sut, durant un instant, que répondre. Se ressaisissant :

– On vous aurait dit à vous que vous étiez gaulliste, cela ne vous aurait tout de même pas fait plaisir!

– Cela m'aurait été complètement égal.

– Vous n'avez peut-être pas tout perdu, comme moi.

– Qu'est-ce que vous voulez dire? Qu'est-ce que vous avez donc perdu?

Bridet sentit une sueur froide lui couler sur les côtes. Il s'enferrait.

– J'ai perdu mon pays, s'écria-t-il en écartant les bras.

Laveyssère le regarda comme un inconnu qui serait venu s'asseoir à sa table.

– Eh! bien, maintenant, je ne vous comprends plus...

– Comment? s'écria Bridet avec force, pour cacher son désarroi sous l'indignation.

– Non, je ne vous comprends plus.

– Vous ne comprenez pas qu'un homme puisse être écœuré d'avoir été vendu, trahi par toute cette clique du Front populaire, par toute cette bande de fripouilles et de communistes!

Laveyssère était de plus en plus distant.

– Ça, à la rigueur, je le comprends, dit-il sèchement.

– Eh bien, vous voyez, vous êtes de mon avis! dit Bridet en profitant de l'occasion pour se radoucir d'une façon naturelle.

– Non, je ne suis pas de votre avis, continua Laveyssère qui s'adressait à Bridet comme s'il venait de faire sa connaissance.

– C'est moi qui, à présent, ne vous comprends plus, dit Bridet.

– C'est que nous n'avons pas du tout la même façon de voir les choses.

– Vous trouvez?

– Oh! pas du tout! Nous, révolutionnaires nationaux, nous n'avons pas été surpris par ce qui s'est passé. Nous l'avons prévu. Nous l'avons dit et répété. Nous n'estimons pas que nous avons perdu grand-chose. Nous n'avons donc pas lieu de nous mettre en colère. Le temps des criailleries vaines est révolu. Nous ne voulons plus entendre hurler sans cesse, comme vous venez de le faire, les Français contre les Français. Une France nouvelle est en train de naître. Personne ne pourra l'empêcher.

– Et les juifs, et les communistes, et les francs-maçons!... s'écria Bridet à tout hasard, ne sachant plus très bien ce qu'il devait dire.

– Ils n'existent plus. Et s'ils sont aveuglés au point

de ne pas s'en rendre compte, au point de s'opposer à la naissance de cette France auréolée de souffrance, au point de vouloir toucher, ne serait-ce que du bout de leurs doigts sanglants, cette enfant pure et glorieuse, malheur à eux. Ils seront implacablement châtiés. Cette France, dont la devise est et sera : « Travail, Famiile, Patrie », a les yeux tournés vers nous et si elle nous appelle à son secours, nous, les hommes du Maréchal, nous saurons la défendre, je vous prie de le croire.

CHAPITRE 4

Dès qu'il eut quitté Laveyssère, Bridet éprouva le besoin d'être seul, de ne plus voir aucun visage humain. Il s'assit dans une arrière-salle de café. « Il n'y a rien à faire dans cette ville, pensa-t-il, ils sont tous les mêmes. Ce sont vraiment de pauvres gens. Et dangereux, parce qu'ils se sont crus longtemps méconnus. On ne savait pas qu'ils avaient de si belles qualités. Il est impossible de discuter avec eux. Ils sont persuadés que le pouvoir que les Allemands leur ont donné leur revenait de toute façon. Les circonstances ont fait qu'il leur est revenu de façon assez particulière, mais puisqu'il leur était dû, ils ne pouvaient tout de même pas le refuser. »

Bridet, après avoir payé sa consommation, sortit : « Je ne vais pas rentrer à l'hôtel. Tant pis pour mon chapeau, mon rasoir et ma chemise de rechange. Ils sont capables de m'attendre devant la porte et de me conduire dans les locaux de la police, non plus judiciaire comme on disait à Paris, mais nationale, car tout est national. On n'a jamais été si national. Je vais tout simplement prendre le train et retourner à Lyon. Là, je verrai ce que je dois faire. Quel dommage que je ne sois pas originaire du Cotentin ou de la Bretagne. J'aurais bien trouvé des pêcheurs qui m'auraient embarqué. Mais je suis berrichon et, en fait de pêcheurs, il n'y a chez moi que des pêcheurs à la ligne. »

Bridet monta l'avenue de la Gare. Alors qu'il regardait toujours à gauche et à droite avec l'espoir de rencontrer l'ami qui l'aurait tiré d'affaire, il baissa la tête. Il ne voulait voir personne. « Et comme un idiot, pensa-t-il, je me suis imaginé en venant ici que j'allais trouver des gens qui ne faisaient que semblant d'être pour les Boches, qui, par en dessous, m'auraient aidé... que nous serions entre Français, que nous nous soutiendrions les uns les autres. »

En débouchant sur la grande place de la Gare, l'attention de Bridet fut soudain éveillée. Il y avait beaucoup de monde. Il y avait même des voitures de louage avec des parasols à franges. Mais il y avait aussi, devant l'interminable façade de la gare, en quatre ou cinq endroits, une petite scène qui avait attiré son regard. Des hommes par deux, les mains vides, se promenaient en dévisageant tout le monde et de temps en temps, soit au hasard, soit parce qu'une tête ne leur plaisait pas, interpellaient un voyageur ou un passant. Au premier abord, Bridet avait cru que ces gens se connaissaient. Mais cette scène se renouvelant sans cesse en des points différents et de façon identique, il avait compris qu'il s'agissait d'une vérification, qui voulait être discrète, de papiers d'identité. Un des deux hommes examinait les papiers qu'on lui tendait, cependant que l'autre cherchait déjà aux alentours à qui il allait s'en prendre. Le plus curieux était que les passants ne remarquaient rien, que la vie continuait, que des voyageurs descendaient d'un autobus, que d'autres portaient des valises, achetaient des journaux, appelaient un commissionnaire.

Bridet fit demi-tour et redescendit l'avenue de la Gare. Il prit la première rue qui se présenta sur sa gauche. Vichy était petit. Il n'allait pas tarder à se trouver sur une autre place en présence peut-être des mêmes incidents. Cette sensation de ne pouvoir fuir vers l'extérieur, d'être partout dans un endroit où on pouvait lui demander ses papiers, lui causa un profond malaise. « Je suis pourtant en règle », pensa-t-il.

Il alla à la poste pour téléphoner à l'hôtel Carnot qu'on lui réservât une chambre. Le téléphone fonctionnait bien, si on tenait compte de la situation. Les personnes qui se trouvaient à la tête de l'administration avaient déployé des prodiges. On sentait qu'elles en avaient fait une question d'amour-propre. Ce n'était pas parce que nous avions été battus par les Allemands que nous n'étions pas capables de diriger nos affaires. Il en était de même pour les chemins de fer, pour le recouvrement des impôts. Enfin, tout se remettait à marcher normalement « malgré les conditions excessivement difficiles créées par la situation nouvelle qui résultait de la division de la France en deux zones et de la présence, sur une partie de son territoire, d'une armée étrangère d'occupation », comme disaient les journaux. Les pouvoirs publics, au cours de ces derniers mois, avaient réussi de véritables tours de force. Avec des moyens souvent de fortune, ils avaient procédé au rapatriement de plusieurs millions de réfugiés, à la démobilisation et au remploi de plusieurs millions d'hommes. Ils avaient reconstruit des ponts, mis sur pied toute une organisation de ravitaillement que les Allemands eux-mêmes nous enviaient. Cela prouvait que nous n'étions pas ce pays décadent pour lequel on voulait nous faire passer.

Bridet eut donc assez rapidement sa communication avec Lyon. Malheureusement, l'hôtel Carnot, qui lui ne dépendait pas des pouvoirs publics, n'avait aucune chambre de libre.

Un instant, Bridet se demanda s'il devait partir quand même. Cela ne paraîtrait-il pas bizarre de partir ainsi brusquement, sans avoir prévenu personne ?

Bridet sortit de la poste. L'heure du train approchait. Que faire ? A la seule pensée de retourner à son hôtel, il se sentait oppressé.

C'était ridicule, mais c'était ainsi. Cet hôtel si calme, si provincial, si propre, lui inspirait une crainte de plus en plus vive. « Je pourrais peut-être retourner voir Vauvray, afin de ne pas déranger Basson, et lui dire que je vais passer quelques jours avec ma femme en attendant que mes papiers soient prêts. » Mais il en était du ministère comme de l'hôtel. « J'aurais dû dire cela, au restaurant, à Basson et à Laveyssère. C'est extraordinaire d'avoir toujours l'esprit de l'escalier. »

Bridet remonta machinalement vers la gare. « Je m'en vais. J'écrirai un mot de Lyon. J'écrirai aussi à l'hôtel. Après tout, je peux bien avoir sauté dans le train comme on saute dans un autobus, d'autant plus que ma présence ici n'est pas nécessaire. On m'a dit de repasser dans une semaine, je repasserai dans une semaine... »

En arrivant à la gare, Bridet s'assura d'abord que les policiers étaient bien partis. Il prit son billet après avoir fait la queue pendant plus d'une heure. Sur le quai, il y avait foule. « Ce ne serait pas le moment de rencontrer une seconde fois Basson. » A chaque extrémité du quai se trouvait un groupe de gendarmes. Ils allaient, tout à l'heure, monter dans le train et, par le couloir, se retrouver au milieu.

Bridet arriva à Lyon à neuf heures quinze, avec seulement sept minutes de retard. Il se rendit immédiatement à l'hôtel où habitait sa femme. Il avait pu dîner pas trop mal au wagon-restaurant.

Yolande, qu'une employée de l'hôtel Carnot avait prévenue, l'attendait. Ils s'assirent dans le fond du hall.

— Comment ça s'est passé ? demanda-t-elle.

— Très bien. Pas mal du tout.

— Très bien ou pas mal du tout ?

— Je te le dirai dans quelques jours. On est en train d'établir mon sauf-conduit. Il faut télégraphier au gouvernement. Il y a quelques formalités, mais en principe, je pars.

— Pourquoi n'as-tu pas ramené ta valise ?

— C'était plus commode.

— Tu la retrouveras ?

— Je l'espère. Je vais d'ailleurs écrire un mot demain matin à l'hôtel.

Yolande regarda son mari avec étonnement.

— Tu comprends, je me suis décidé brusquement à partir. Je n'ai pas eu le temps de retourner à l'hôtel.

Yolande sourit.

— Oui, je devine, dit-elle. Tu as préféré t'en aller le plus vite possible.

— Mais non, puisque je retourne à Vichy.

Le piège

Ils firent deux ou trois fois le tour de la place Carnot qui était plongée dans la plus profonde obscurité. On apercevait l'horloge éclairée de la gare. Ils parlèrent de leur séparation, puis comme des ombres commençaient à tourner autour d'eux, ils rentrèrent à l'hôtel.

– Il faudrait peut-être dire que tu couches avec moi, remarqua Yolande. En principe, on doit le faire. La police est tout le temps là.

– Oh! je commence à en avoir assez, dit Bridet, de tous ces contrôles et de toutes ces vérifications. Elle fera ce qu'elle voudra, cette police. Moi, je monte me coucher, un point, c'est tout.

Bridet dormit mal, le lit étant trop petit pour deux. A quatre heures du matin, il se leva, mit son pardessus, s'enveloppa les jambes dans un manteau de sa femme, et s'assit dans le fauteuil. Il somnolait lorsque, soudain, il entendit des coups frappés à la chambre voisine. Le jour devait commencer à se lever car une légère clarté filtrait à travers les volets, à moins que ce ne fût la lune. Il regarda sa montre. Il était cinq heures vingt. Maintenant, il entendait des bruits de voix et un remue-ménage dans la chambre voisine. « Toujours ces éternels voyageurs », pensa-t-il. Mais au même moment, on frappa trois ou quatre coups de suite à sa porte. « Où es-tu? » demanda Yolande qui s'était réveillée en sursaut. « Je suis là. » « C'est toi qui as frappé? » « Non. »

Il alluma l'électricité. On frappa de nouveau.

– Ouvrez, ouvrez, police, entendit-il.

– Police? demanda Bridet sans savoir ce qu'il disait.

– Ouvrez. Police.

Bridet obéit. Deux hommes se tenaient dans le couloir. Ils parlaient à un troisième personnage qui lisait un papier un peu plus loin. A droite, dans le fond du couloir, on entendait d'autres bruits. Il s'agissait visiblement d'une descente de police et Bridet eut tout de suite le sentiment rassurant que ce n'était pas à lui personnellement qu'on en voulait. En effet, il avait beau avoir ouvert, on ne s'intéressait pas encore à lui.

– Dites à madame de s'habiller, fit un policier en apercevant Yolande dans le lit.

– Tu as la liste ? demanda le deuxième policier à celui qui lisait.

– Tout de suite, répondit celui-ci.

– Quelle chambre est-ce ? s'enquit celui qui avait prié Yolande de s'habiller, en cherchant le numéro sur la porte.

– 72, dit Bridet.

– Je ne comprends plus, dit le policier. Alors, on passe de 68 à 72. Où sont les chambres intermédiaires ?

– Au fond du couloir, dit Yolande en s'habillant.

Un quatrième et un cinquième policier apparurent, venant justement du fond du couloir.

– C'est un labyrinthe cet hôtel, dit l'un d'eux. Est-ce que de ce côté, c'est fait ?

– Oui, à part le type du 64 qui ne retrouve pas ses papiers.

– Qu'est-ce que c'est que ce type-là ?

– Ça a l'air d'un étranger. Ce doit être un juif.

– Il faut l'embarquer.

Bridet alla prendre son portefeuille dans son veston et en tira sa carte d'identité et sa fiche de démobilisation.

– Tenez, dit-il aux policiers qui venaient d'entrer dans la chambre.

– Mais quelle chambre est-ce? redemanda le policier sans même prendre les papiers.

– 72.

– Ah! mais alors, dit le policier, qu'est-ce que vous faites là?

– C'est la chambre d'une seule personne, une dame, dit le deuxième policier en regardant sa liste. Qui est Mme Bridet?

– C'est moi, dit Yolande.

– Moi, je suis le mari, dit Bridet. Je suis arrivé de Vichy hier soir. Ne sachant pas où coucher, j'ai couché chez ma femme.

– Vous n'avez pas rempli de fiche.

– Je n'ai pas pensé que c'était nécessaire, dit Bridet, puisque nous avons le même nom.

– Montrez vos papiers.

Le policier les examina longuement, puis il appela son collègue et les lui passa. Ce dernier les examina à son tour.

– Vous vous appelez Joseph Bridet?

– Oui.

– Tu as le carnet? demanda le policier à son collègue. Passe-le-moi.

Il feuilleta longuement ce carnet, puis le referma sans rien dire.

– Vous êtes le mari de Madame?

– Oui.

– Votre carte d'identité n'a pas de numéro.

– Je le sais bien. Mais ce n'est pas de ma faute.

– Et cette fiche de démobilisation, qu'est-ce que c'est?

– Tu as déjà vu des fiches comme ça, Robert?

– C'est une fiche de démobilisation. C'est ce qu'on nous a donné à tous, après l'armistice, pour prouver que nous avions été démobilisés régulièrement, puis-qu'on tenait tellement à faire les choses régulière-ment.

– Tu as vu cette fiche? dit le policier à son collègue. Regarde-la attentivement.

Le policier l'examina longuement.

– Le cachet? C'est un cachet de gendarmerie, ce n'est pas un cachet de l'armée.

– Parfaitement. Le commandant n'avait pas de cachet. Il a emprunté celui de la gendarmerie.

– Non, la signature, la signature, je parle de la signature.

– Oui, eh bien?

– Tu ne remarques rien, Robert?

– Non.

– C'est la même écriture. Celui qui a rempli cette fiche est le même qui l'a signée.

– En effet, dit Bridet. Je vais vous raconter comment ça s'est passé. Rien de plus simple. Au moment de l'armistice, après avoir perdu mon unité, je me suis trouvé à Ambert, dans le Puy-de-Dôme. J'ai été me présenter à la gendarmerie. On m'a dit d'attendre. Quelques jours après, un commandant s'est installé à la sous-préfecture avec le titre, tiré de je ne sais où, de major de zone. Le tambour a annoncé que tous les militaires se trouvant dans la ville devraient se présenter à lui. C'est ce que j'ai fait. Comme j'étais journaliste et que le commandant manquait de secré-taire, il m'a récupéré et affecté à son service. Il s'est trouvé qu'ainsi c'est moi qui ai démobilisé tous les cultivateurs de l'arrondissement. Quand est arrivé mon tour, je me suis démobilisé également.

– Vous n'avez pas d'autres papiers?

– Non.

Le policier se tourna vers son collègue.

– Qu'est-ce qu'on fait ?

– Il faut demander au chef.

Quelques instants après, un petit homme noir, avec une moustache mieux taillée et quelque chose de plus soigné dans les vêtements qui révélait une fonction plus importante, entra dans la chambre.

– Je tiens à vous dire tout de suite qui je suis, dit Bridet. Mes amis, M. Basson, de la Direction générale de la Police nationale, et M. Laveyssère, du cabinet du Maréchal...

Mais le chef lui coupa la parole.

– Ce que vous êtes n'a aucune importance. Je ne sais qu'une chose : vous n'êtes pas en règle. Je suis dans l'obligation de vous prier de me suivre.

– Mais vous ne savez pas qui est mon mari, s'écria Yolande.

– Je t'en prie, lui dit Bridet.

Il s'habilla. « Je téléphonerai demain matin à Basson », dit Yolande. Bridet ne répondit pas. « Et à Laveyssère. C'est quand même inouï qu'un homme comme toi puisse être conduit au commissariat. » Au bout d'un moment, Bridet dit : « Je crois qu'il vaut mieux pas, cela fera mauvais effet à Vichy. Si je courais vraiment un risque, je comprendrais. Mais dès qu'on aura fait une enquête, on s'apercevra que ce que je dis est vrai et on sera bien obligé de me relâcher. Ce n'est pas la peine d'alerter les amis pour si peu. »

Bridet se regarda dans la glace. A ce moment, il était seul avec Yolande. Il l'appela et, à voix basse, il lui dit : « Quelle bande de salauds ! Ça, pour en descendre, je te promets qu'on en descendra quelques-uns un jour. » « Tais-toi, lui dit-elle. Je t'assure qu'il va t'arriver quelque chose. Je te l'ai dit et je te le répète : il n'y a qu'un moyen de s'en tirer, c'est de se mettre bien avec les Boches. On peut leur parler, à eux. Ils sont beaucoup mieux que les Français qui leur lèchent les bottes. »

Bridet ne répondit pas. La colère le gagnait.

– Alors, vous venez ? cria un policier.

– Oui, oui, je viens, dit Bridet.

Ils étaient une quarantaine dans une sorte de salle de garde du commissariat central. Ce dernier était installé dans un côté de la grande poste, magnifique construction. Il y avait des barreaux à la fenêtre, mais par une intention délicate de l'architecte, ils étaient recourbés aux extrémités de façon à permettre de s'accouder sur l'entablement ou d'y mettre des pots de fleurs.

Tout le monde s'était assis, sauf Bridet qui marchait de long en large. Une pauvre femme se lamentait. Sa fille, une enfant de huit ans, devait arriver seule tout à l'heure, de Tain-l'Hermitage, à la gare de Perrache. Elle ne saurait où aller. Bridet s'approcha du sergent de ville qui se tenait près de la porte. « Vous devriez prévenir le commissaire », répéta Bridet. « Je ne peux pas », répondit l'agent. « Eh bien, dites-le à un secrétaire quelconque. »

L'agent sortit. Il revint peu après avec un employé en civil. « Que se passe-t-il ? » demanda ce dernier de l'air d'un homme qui a juste un instant à vous donner. Bridet raconta l'histoire de la pauvre femme. Elle s'était approchée. Elle disait sans arrêt à Bridet : « Merci, Monsieur, merci, Monsieur... » Le secrétaire partit en levant les bras en signe d'impuissance, mais sans dire non.

Une heure plus tard, Bridet était introduit dans le bureau du commissaire central. Celui-ci avait déjà les papiers de Bridet devant lui.

– Je vois que vous êtes journaliste. A quels journaux collaboriez-vous?

– Au journal *Le Journal* et au *Figaro*.

– *Le Journal* est à Lyon en ce moment, n'est-ce pas?

– Oui, Monsieur.

– Est-ce que vous en faites toujours partie?

– Non, Monsieur.

– Pourquoi?

– Parce que ça ne m'intéresse pas de travailler dans les conditions actuelles.

– Pourtant, le *Figaro*...

Le commissaire garda le silence. Il leva les yeux. A ce moment, le regard des deux hommes se rencontra. Bridet eut alors l'impression que le commissaire l'approuvait.

– Vous savez pourquoi vous êtes ici, continua-t-il.

– Non, dit Bridet.

– Votre nom ne figurait pas sur le livre de police de l'hôtel.

Le commissaire eut un léger sourire qui laissait entendre qu'il trouvait lui-même cette raison peu convaincante.

– Qu'est-ce que vous voulez, les inspecteurs sont bien obligés de faire ce qu'on leur dit, continua le commissaire. Moi aussi, d'ailleurs. Voici vos papiers. Je vais donner l'ordre qu'on vous libère.

– Je vous remercie, dit Bridet.

De nouveau, le regard des deux hommes se rencontra. Cette fois, Bridet n'eut plus aucun doute. Il avait affaire à un Français. Il sentit entre le commissaire et lui une sorte de complicité secrète.

– Je vous remercie, répéta-t-il.

– Oh! ne me remerciez pas. C'est tout naturel. Nous nous comprenons, n'est-ce pas? Vous n'avez qu'à retourner dans la salle. On va vous prévenir.

Le commissaire se leva, tendit la main un peu négligemment, sans doute pour ne pas trop se compromettre car, après tout, il pouvait se tromper sur le compte de Bridet et, en reconduisant celui-ci, dit aux deux agents qui avaient assisté à l'entretien : « M. Bridet va être relâché tout à l'heure. »

Il y avait moins de monde dans la salle. Bridet s'assit sur un banc. Il attendait depuis une vingtaine de minutes lorsque le secrétaire à qui il avait parlé tout à l'heure de la pauvre femme, parut sur le seuil de la porte. Faisant semblant de ne pas voir Bridet, il appela : « M. Bridet, s'il vous plaît! »

Bridet se leva.

– M. le commissaire me charge de vous dire, continua le secrétaire, qu'il vient de recevoir à l'instant l'ordre de la Direction générale de la Police nationale de vous libérer immédiatement et de vous faire des excuses. Je vous les fais, de la part de M. le commissaire et je vous annonce que vous êtes libre...

Une bouffée de chaleur monta à la tête de Bridet. Il resta un instant interdit. Se ressaisissant enfin, il dit : « Je vous remercie, je vous remercie... mais est-ce que je ne pourrais pas voir M. le commissaire? »

– Je le regrette, dit sèchement le secrétaire, mais M. le commissaire n'a pas le temps de vous recevoir.

CHAPITRE 5

En quittant le commissariat central, Bridet prit la rue de la Charité. Yolande avait été vraiment maladroite. En téléphonant à Vichy, en dérangeant des personnages importants – ou du moins qui se croyaient importants – elle avait certainement donné une impression d'affolement. Ils devaient s'imaginer que quelque chose de beaucoup plus grave qu'une simple vérification d'identité s'était produit. Yolande avait mis son mari dans une situation ridicule. Il lui avait pourtant bien dit de ne point bouger. Enfin, elle avait cru bien faire et il ne pouvait lui en vouloir.

Il arriva peu après à l'hôtel. Cet hôtel s'appelait l'hôtel d'Angleterre. Un fanatique vichyssois n'avait pu le supporter. Une nuit, il avait lancé des pierres sur la marquise et des morceaux de verre bleuis à cause des alertes traînaient encore par terre.

Yolande était sortie. Elle devait faire d'autres démarches. Le coup de téléphone de Vichy n'avait peut-être pas été efficace. « C'est extraordinaire, pensa Bridet, ce que les femmes aiment les histoires. »

Il aperçut le propriétaire. Il craignit que celui-ci ne lui fît une observation, qu'il ne le rendît responsable des ennuis que la police risquait de faire à l'hôtel par la suite. Il n'en fut rien. Le propriétaire lui fit un petit signe amical où l'on sentait sa satisfaction de retrouver son client libre. Cette attitude causa à Bridet un grand bien. Il était réconfortant de voir des Français faire passer leur intérêt après la solidarité que se doivent des hommes nés sur le même sol.

Bridet attendit plus d'une heure. Enfin, Yolande revint. Comme il le redoutait, elle avait employé la matinée à alerter ses amis. Il lui fit observer qu'elle aurait mieux fait de se tenir tranquille : « Comment, s'écria-t-elle, tu voulais que je te laisse en prison! »

Il sentit de nouveau qu'il y avait un monde entre elle et lui. La défaite n'avait rien changé au fond de son cœur. Celle-ci était à ses yeux une catastrophe, certes, mais pas telle qu'elle pût modifier les réactions normales de défense d'un être humain.

Elle annonça qu'entre autres personnes, elle avait été voir un directeur de journal. Il l'avait très bien reçue. Il lui avait dit qu'il était inadmissible que Bridet restât en prison, qu'il allait faire le nécessaire.

Tirant de cet accueil tout le parti possible, elle ajouta qu'il avait tort de bouder ses amis, de s'isoler comme si tout le monde était responsable de la défaite, sauf lui. Tous les Français, quelles que fussent leurs opinions politiques, souffraient autant que lui. Il fallait s'aider les uns les autres.

Bridet ne répondit pas. Il dit cependant peu après : « Ils me dégoûtent tous. Il n'y a rien à faire ici. Je te le répète, je veux rejoindre de Gaulle et je le rejoindrai, même si je dois y laisser ma peau. »

Ils passèrent l'après-midi dans un cinéma bondé où on respirait avec peine. Des applaudissements coupés de sifflets crépitèrent au moment où défilèrent devant une estrade des légionnaires qui marchaient sans ordre, mais la tête haute et le bras tendu. « Quelle noblesse dans leur regard! » cria une femme. « C'est effroyable », murmura Bridet. « Tais-toi! » dit Yolande. « Ma parole, ils font le salut hitlérien », dit Bridet qui ne pouvait plus se contenir. « Vous ne voyez pas qu'ils prêtent serment », observa sèchement un vieux monsieur.

Ils dînèrent dans un petit restaurant de la catégorie D, à 12,50 francs le repas. Ils allèrent ensuite se promener le long de la Saône. Puis, lorsque la nuit commença à tomber, ils se rapprochèrent de l'hôtel.

Bridet aimait à se promener autour de la place Carnot à l'heure où les Allemands commençaient à rentrer dans leur chambre. Les groupes d'agents cyclistes qui veillaient à leur sécurité devant les hôtels se moquaient d'eux parfois et, venant de l'autorité, ces moqueries attiraient les badauds.

Bientôt, il fit nuit. « On va finir par se faire remarquer », dit Yolande. Dans les bosquets qui entourent la statue de la République, il n'y avait pas que des couples, mais des hommes seuls qui rôdaient. Ils ne faisaient plus peur. Une conséquence inattendue de la défaite était que les voyous eux-mêmes semblaient inoffensifs. De temps en temps, on apercevait des détachements de voyageurs qui descendaient de la gare.

En passant devant une fenêtre hermétiquement close, Bridet entendit une radio. Il s'arrêta. Était-ce Londres ou Vichy? C'était Londres.

– Tu viens? dit Yolande.
– C'est Londres, dit Bridet.

– Londres est fini.
– Non. Ce sont les messages personnels.
On entendait distinctement :
« Le tandem de Roger est réparé. »
« Les chimères sont des folles. »
« Albertine n'a jamais été vaccinée. Nous répétons :
Albertine n'a jamais été vaccinée. »
« Les chats du Luxembourg miaulent toujours. »
Yolande s'approcha.
– Tu viens, c'est sans intérêt.
Mais Bridet ne bougeait pas. Il éprouvait un plaisir
à écouter ces messages. Ils étaient l'indice, le seul
indice au milieu de toute cette misère, que quelque
chose se passait, qu'il y avait encore quelque part
dans le monde des hommes qui trompaient les
Allemands, qui montaient des machinations contre
eux. Et il espérait confusément que, par il ne savait
quel concours de circonstances, un de ces messages
lui serait destiné, qu'il entendrait par exemple tout
à coup : « Le mari de Yolande est attendu à Londres.
Nous répétons : Le mari de Yolande est attendu à
Londres. »

Le surlendemain, Bridet retournait à Vichy. Ses
papiers devaient être prêts. Quoique arrivé le matin,
ce ne fut qu'à la fin de l'après-midi qu'il se décida
à aller au ministère de l'Intérieur. En ces quelques
jours, les menuisiers et les peintres avaient donné à
l'hôtel de station thermale un aspect plus compatible
avec le sérieux des services qu'il abritait. Le tambour
de l'entrée avait été démonté. Les allées et venues
étaient si nombreuses qu'il avait fini par devenir

gênant. Et peut-être que des préoccupations de sécurité n'avaient pas été étrangères à cette suppression. Les quelques secondes qu'il mettait à tourner pouvaient favoriser un mauvais coup, un attentat par exemple. La réception avait été transformée en salle de garde. Des cloisons avaient été dressées un peu partout. Elles étaient déjà couvertes d'affiches de propagande. Un garde mobile avec casque et mousqueton se tenait devant la porte de l'ascenseur.

Bridet sentit son cœur se serrer. Il avait l'impression que quelque chose s'était passé en son absence. Partout, des agents de police en uniforme. Par crainte d'être interpellé s'il passait sans rien dire, il demanda à l'un d'eux s'il savait où se trouvait le bureau de M. Basson. Le policier ne put répondre. Bien qu'il n'eût certainement pas la consigne d'accompagner les visiteurs, il conduisit Bridet à une table derrière laquelle se trouvait un huissier avec une chaîne comme à Paris et dont la poitrine était couverte de décorations.

Cet huissier consulta le tableau. Assis à côté de lui, deux messieurs d'apparence quelconque parlaient à voix basse.

– Vous voulez voir M. Basson ?

– Oui.

– Au premier étage.

Le garde mobile n'avait pas bougé. Bridet le remercia. Cette présence à côté de lui d'un homme en armes lui était profondément désagréable. Un événement fâcheux avait dû se produire. C'était pour qu'il ne se renouvelât pas que les visiteurs étaient accompagnés.

Bridet s'engagea dans l'escalier. Sur le palier même du premier étage, une douzaine de fauteuils d'osier étaient alignés. « Ils ont dû faire un bureau de la salle d'attente », pensa Bridet.

Il demanda Basson. L'appariteur revint quelques instants après, M. Basson n'était pas dans son bureau. M. Basson était en conférence avec le Ministre, mais M. Basson n'allait pas tarder.

Bridet s'assit. Sur une pancarte, il lut entre autres noms celui de Basson suivi de ces mots où on sentait une incompréhensible mauvaise humeur : « M. Basson ne reçoit que de onze heures à midi. »

« Ils s'installent pour longtemps », pensa Bridet. Il alluma une cigarette. Entre chaque fauteuil, un cendrier que portait un groom en bois découpé avait été placé. Des fonctionnaires passaient à chaque instant, sans que jamais un seul jetât le plus rapide regard sur les visiteurs.

Bridet attendait depuis une heure lorsque quatre hommes sortirent d'un bureau. Basson était parmi eux. Bridet se leva à demi pour attirer l'attention. Il rencontra le regard de son ami, mais celui-ci, encore tout frémissant, ne lui fit aucun signe.

Bridet se rassit. « Dès qu'il va avoir fini, pensa-t-il, il va venir me chercher. »

Les quatre hommes parlaient à haute voix, sans paraître craindre le moins du monde une indiscrétion. Bridet ne quittait pas des yeux Basson, mais ce dernier, comme s'il le savait, ne regardait jamais de ce côté. « Le type qui est au milieu doit être le ministre », pensa Bridet. C'était un homme grand et fort, vêtu d'un costume élégant. Il avait les cheveux pommadés. Il ne parlait pas, mais n'écoutait pas non plus ce qu'on lui disait. On sentait que l'essentiel avait été réglé et qu'il ne s'attardait que par courtoisie. Quant aux trois autres, leur agitation avait quelque chose de servile. Elle visait à donner d'avance une idée de la conscience et du sérieux avec lesquels les ordres seraient exécutés.

Enfin, ils se séparèrent. L'appariteur courut dans l'escalier et, à mi-chemin, cria : « Le ministre, le ministre... » On entendit un bruit de crosses sur les mosaïques second empire du rez-de-chaussée, puis d'autres voix : « La voiture, faites avancer la voiture, le ministre... »

Les trois hommes se quittèrent à leur tour en se témoignant beaucoup d'égards, comme si leur chef avait été encore présent.

Bridet se leva de nouveau à demi, persuadé maintenant que Basson allait lui parler. Mais ce dernier passa sans même tourner la tête.

– Basson, Basson! appela Bridet.

Ce dernier parut ne pas entendre. Bridet retourna auprès de l'appariteur, un peu gêné d'avoir été traité ainsi.

– Je vais aller prévenir que vous êtes là, fit gentiment l'appariteur.

Bridet s'engagea dans le couloir, en restant pourtant discrètement quelques pas en arrière.

Peu après, l'appariteur revint.

– M. Basson n'a pas le temps de vous recevoir.

Bridet ressentit une impression d'accablement. C'était donc tout ce qui restait de leur amitié ou plus exactement de leur longue camaraderie de jadis.

– Il ne vous a pas dit quand je pouvais revenir?

– Non, Monsieur, répondit l'appariteur toujours avec gentillesse, comme si au fond de lui-même il ne pouvait s'empêcher de trouver ses nouveaux chefs bien cavaliers. « Je vais aller le lui demander », offrit-il de lui-même.

Le piège

Il revint peu après et faisant un geste d'impuissance :

— M. Basson dit que vous n'avez qu'à revenir entre onze heures et midi. Vous serez sûr de le trouver.

Bridet venait à peine de faire quelques pas dans la rue lorsqu'il rougit tout à coup. C'était la première fois depuis sa jeunesse qu'il rougissait de nouveau ainsi, une fois seul, au souvenir d'un incident qui pouvait être considéré comme humiliant. « L'idée qu'ils se font d'eux-mêmes est quelque chose d'effarant », murmura-t-il. Puis il pensa qu'il avait tort de se laisser aller ainsi. Il y avait des millions de Français qui auraient été heureux de faire de pareilles démarches pour être libres. Et ils n'eussent pas rougi, eux.

Le lendemain, Bridet retourna au ministère un peu avant midi, avec l'espoir qu'étant le dernier visiteur, Basson l'emmènerait déjeuner.

— Vous n'avez pas de chance! s'écria l'appariteur. M. Basson vient de sortir. Mais il va revenir. Attendez-le.

Bridet s'assit à la même place que la veille. Peu après, il vit passer Vauvray qui parut ne pas le reconnaître, puis le jeune employé qui, quelques jours plus tôt, lui avait demandé le nom de jeune fille de sa grand-mère. Pour tuer le temps, il prit sur une table un magazine assez luxueux où il n'était question que des joies de la vie au grand air.

Basson ne revenait toujours pas. A une heure et quart, Bridet se décida à partir. Son attente, de normale qu'elle était si son ami n'avait pas trop tardé, devenait indiscrète.

Il venait de sortir lorsqu'une voiture dans laquelle se trouvait Basson s'arrêta devant le ministère. « Vous n'avez pas de chance ! » avait dit l'appariteur. C'était vrai. Quelques secondes de plus d'attente et Bridet se fût trouvé le plus naturellement du monde en présence de Basson dans le hall ou l'escalier des Célestins. Décidément, il y avait des jours où tout se passait à contretemps. Il était obligé, à cause de ces quelques secondes, de revenir sur ses pas, d'attendre que Basson sortît de la voiture, d'expliquer ensuite ce qui s'était passé.

– Basson ! cria Bridet à son ami qui s'engouffrait à la hâte dans le ministère.

Il se retourna. A la vue de Bridet, il montra une grande surprise.

– Comment ! dit-il, tu viens à cette heure-ci !

– Je partais au contraire, mais j'ai aperçu ta voiture...

– Je n'ai pas le temps, je n'ai pas le temps, dit Basson sans même tendre la main à son camarade. Viens me voir n'importe quel jour, mais entre onze heures et midi.

– Je viendrai demain, dit Bridet.

CHAPITRE 6

Au fond, ces difficultés à approcher Basson n'étaient pas de mauvais augure. Bridet y voyait l'indication rassurante que son cas n'avait pas une grande importance. La curiosité des premiers jours passée, personne ne s'intéressait plus à son histoire insignifiante de sauf-conduit. C'était le principal.

Le lendemain, Bridet revint plus modestement à onze heures. « Ce n'est pas tellement drôle de déjeuner avec des gens pareils, pensait-il. Une seule chose compte : mes papiers. »

Cette fois, Bridet fut introduit immédiatement.

– Alors, mon vieux, qu'est-ce qui t'arrive ? demanda Basson.

– Rien. Je viens te voir...

– Comment rien ? Tu ne viens pas d'avoir des ennuis à Lyon ?

– Il ne faut rien exagérer...

– Yolande m'a pourtant téléphoné, continua Basson, faisant celui qui ne se rappelle plus très bien ce qui s'est passé.

– Yolande ?

– Yolande. Parfaitement. Je sortais de mon bain.

Le piège

On me branche du ministère avec Lyon. Je me dis : « Mais qu'est-ce qui arrive ? » Et c'était Yolande. Ta pauvre femme avait complètement perdu la tête.

Basson s'interrompit pour rire. Il reprit :

— Ah ! Tu es bien toujours le même !

— Yolande a eu peur, constata Bridet.

— Je ne vois pas pourquoi, observa Basson, comme s'il ne comprenait pas qu'on pût avoir peur de la police quand on n'avait rien à se reprocher.

— Elle s'est imaginée que je courais des dangers...

— Mais au fait, est-ce que tu as vraiment été arrêté ?

— Non, dit Bridet. Il s'agissait d'une simple vérification d'identité.

— Ce n'est pas ce qu'avait l'air de dire Yolande.

— Puisque tu t'es occupé de cette affaire, tu sais bien qu'il ne s'agissait que de cela.

— Je ne sais absolument rien. C'est pour cela que je te pose des questions, continua Basson.

On eût dit que l'amitié qui le liait à Bridet était telle qu'il était intervenu sans chercher à se renseigner au préalable et quelque grave que pût être ce qui était reproché à son camarade.

— Je te le répète : il s'agissait d'une vérification d'identité.

— Ça n'en avait pas l'air, poursuivit Basson. Le commissaire de Lyon ne voulait rien entendre. Ils sont extraordinaires tous ces hyper-gaullistes ! Qu'on veuille arrêter les gens ou les relâcher, ils mettent toujours des bâtons dans les roues.

Bridet raconta en détail ce qui s'était passé à l'hôtel.

— Oui, oui, ça je le sais. Mais est-ce qu'il n'y a pas autre chose ?

— Autre chose ? demanda Bridet avec une subite inquiétude.

– Outhenin, tu le connaissais à Paris? Tu vois qui je veux dire? Il fait la navette en ce moment, entre les deux zones...

– Non, non, je ne vois pas.

– Enfin, ça n'a pas d'importance. Outhenin m'a parlé d'un rapport. Il m'a dit qu'ils n'étaient pas contents.

– Qui « ils »?

– Enfin, à Lyon et ici d'ailleurs. Comme je te l'ai dit, je ne suis pas au courant.

– Je ne comprends plus rien, dit Bridet. Un rapport? A quel sujet?

– Moi non plus.

– Mais tu me dis toi-même que tu as tout arrangé.

– J'ai tout arrangé, mais je ne sais rien. J'ai tout pris sur moi, c'est tout. Allons, dis-moi la vérité. Est-ce qu'il n'y a pas une histoire de gaullisme, là-dessous?

– Écoute, Basson, tu es complètement ridicule. C'est une idée fixe, chez toi, le gaullisme. Qu'est-ce qu'il vient faire là-dedans?

– C'est justement ce que je te demande. Yolande me téléphone. J'arrange les choses. Mais il y a du tirage. Pourquoi? Et ce rapport, qu'est-ce que c'est?

– Quel rapport?

– On m'a parlé d'un dossier.

– Comment veux-tu que je le sache? dit Bridet.

– Enfin, tu n'es pas un enfant. On se doute toujours de quelque chose.

– Je ne sais absolument rien, dit Bridet sur le ton ferme d'un homme qui veut mettre fin à des commérages.

– Ce dossier serait imaginaire?

– Tu n'as pas demandé à le voir?

— Je n'ai pas eu le temps, et puis, tu comprends, dans ton intérêt, il m'a paru qu'il valait mieux ne pas trop insister. Cette histoire...

— Mais il n'y a pas d'histoire! s'écria Bridet qui sentait qu'il devait s'indigner, mais qui ne le pouvait pas.

— Ah! ça, pour y avoir une histoire, il y en a une, dit Basson sur un ton de plaisanterie qui contrastait avec la gravité de cette révélation.

— Quoi!

— Je ne sais pas, reprit Basson, comme s'il craignait d'avoir inquiété inutilement son ami.

— Mais moi, je veux savoir, dit Bridet en réussissant enfin à simuler un peu de colère.

— Je vais appeler Vauvray. Tu le connais, je crois? Il va nous renseigner.

— Oui, oui, je le connais. Mais enfin, c'est extraordinaire, que tu ne saches rien.

Peu après, Alain de Vauvray entra dans le bureau.

— Dites, monsieur de Vauvray, qu'est-ce qu'il se passe avec notre ami Bridet?

— Je n'en sais rien, dit Vauvray en souriant très aimablement à Bridet. Ce n'est pas moi qui m'occupe de l'affaire. Le rapport est aux Renseignements généraux, je crois. Il faudrait plutôt voir Outhenin.

— C'est ce que je disais, dit Basson.

Bridet, qui était debout entre les deux hommes, eut un léger vertige qui lui fit faire un pas de côté. Pour qu'on ne s'aperçût de rien, il en fit deux autres comme s'il avait envie de marcher. Il alluma une cigarette, mais il avait la bouche si sèche qu'il ne put la fumer. Basson prit le téléphone. Depuis qu'il avait changé de bureau, il disposait d'un véritable petit standard. Il pressa sur un bouton, puis sur un autre. Une hélice blanche parut derrière un cadran de verre.

– C'est vous, Outhenin? Vous êtes avenue Victoria? Est-ce que vous ne pourriez pas faire un saut jusqu'ici? Oui, il est dans mon bureau. Il est incapable de me dire ce qui s'est passé. Mais est-ce qu'il existe un dossier ou est-ce qu'il n'en existe pas? Oui, Bridet est ici. Il faudrait en finir avec cette histoire. Ah! Il y a donc un dossier... Je ne le savais pas. Apportez-le-moi si vous pouvez. Bon, très bien, nous vous attendons.

Bridet, que cette conversation avait rendu de plus en plus nerveux, sentit tout à coup la colère l'envahir.

Il dit, en faisant un grand effort pour se contenir :

– Il faut que vous n'ayez pas grand-chose à faire pour vous amuser à constituer des dossiers sur tout le monde.

Basson plaisanta :

– Des dossiers, nous ne faisons que ça en ce moment! dit-il en feignant de se moquer de lui-même et de toute l'administration. Il nous faut des archives. Nous ne pouvons pas travailler sans archives. Les Boches sont idiots. Ils feraient mieux de nous les rendre. Cela nous aiderait. N'est-ce pas, Vauvray?

Au lieu de répondre, ce dernier se mit à rire, comme les gens qui ne veulent pas se compromettre.

Outhenin était un petit homme trapu, d'une trentaine d'années, au front bas et aux sourcils épais. Il boitait légèrement car il avait été blessé au mollet au cours de la « campagne 39-40 ». Détail curieux, il avait conservé sa barbe en collier de la ligne Maginot.

Le piège

Il portait à la boutonnière un insigne d'acier bruni où Bridet crut distinguer une hache. On avait peine à s'imaginer qu'un homme qui s'occupait d'une chose aussi importante que la liberté de ses semblables eût un aspect aussi médiocre. Il appartenait au service des Renseignements généraux. Mais il n'en dépendait pas moins, pour certaines affaires, de Basson. Son regard était celui d'un homme intelligent, habile, prudent et qui ne témoignait à ses supérieurs que le minimum de respect indispensable.

Basson lui présenta Bridet. Outhenin eut juste une inclinaison de tête, comme si cette formalité risquait de lui faire oublier les explications qu'il apportait. Il tendit à Basson une chemise bleue à un coin de laquelle était imprimé le numéro 864 au composteur. Basson ouvrit la chemise. Bridet remarqua tout de suite qu'elle ne contenait qu'une lettre à laquelle était épinglée une enveloppe, ce qui lui causa cette inquiétude que nous donnent les dossiers en voie de formation. On prévoyait donc que d'autres pièces allaient s'ajouter à cette lettre.

– Vous appelez ça un dossier! s'exclama Basson.

– Oui, dit Outhenin.

Bridet essaya de lire à l'envers l'en-tête, mais il ne pouvait se concentrer.

– Oui, oui, dit Basson en parcourant la lettre. Mais ça, c'est son avis personnel.

Outhenin ne répondit pas. Il ne semblait pas attacher d'importance au document qu'il venait d'apporter. Mais en même temps, par son silence, il montrait que ce document existait tout de même.

– Ce n'est pas très grave, dit Basson en tournant la lettre pour lire un mot en travers.

– Qu'est-ce que c'est? demanda Bridet.

– Ton commissaire de Lyon. Ils sont vraiment comiques, ces fonctionnaires de province!

Puis s'adressant à Outhenin :

– C'est tout ?

– On ne m'a rien communiqué d'autre, répondit Outhenin. Il faudrait s'adresser à Bavardel. Ce genre d'affaire dépend de Bavardel.

– Quel genre d'affaire ? et qui est Bavardel ? demanda Bridet.

– Oh! c'est un très chic type.

Se tournant de nouveau vers Outhenin, Basson ajouta :

– Ce n'est pas la peine. Vous, Vauvray, vous n'avez rien eu, n'est-ce pas? On ne vous a rien envoyé?

– Rien.

– Eh bien! attendons. On verra. Tenez, Outhenin, emportez votre bien.

Basson se leva aussitôt après, prit son chapeau et ses gants.

– Je dois m'en aller.

Bridet voulut suivre Basson. Vauvray et Outhenin étaient partis ensemble. Mais pour qu'on ne soupçonnât pas qu'ils allaient s'entretenir en tête à tête de cet incident, ils s'étaient ostensiblement séparés avant de refermer la porte.

– Basson, dit Bridet en essayant de retenir son camarade, je t'en prie, reste encore une minute. Il faut que je te parle.

– Je n'ai pas le temps.

– Tu as bien une minute, tout de même. Qu'est-ce qui te prend brusquement?

– Je suis en retard... Je suis en retard.

– Je descends avec toi. Je veux tout de même savoir

71

ce que signifient toutes ces histoires. C'est un peu fort.

— Je te répète que je n'ai pas le temps. D'ailleurs, je n'en sais pas plus que toi... Je ne peux rien te dire d'autre. Tu te fais des illusions à mon sujet. Je ne suis pas tout ici.

Basson se trouvait déjà dans le couloir. Il faisait signe à son ami de quitter le bureau. Bridet sortit enfin. Basson tira la porte puis, abandonnant Bridet, s'éloigna. Il ne voulait visiblement pas descendre avec son camarade. Il feignait une hâte exagérée. Bridet courut derrière lui.

— Et mon sauf-conduit ? demanda-t-il.

— Rien de neuf, dit Basson en s'arrêtant une seconde. Le gouverneur n'a pas répondu. Reviens dans quelques jours. Je n'ai pas le temps.

Il tourna le dos à Bridet et partit.

Pour ne pas suivre immédiatement Basson et surtout pour se donner une contenance, Bridet s'approcha de l'appariteur.

— C'est bien tous les jours entre onze heures et midi que reçoit M. Basson ?

— Oui, Monsieur, tous les jours, mais il n'est pas souvent là.

— Ah ! bon, dit Bridet qui voulait faire durer la conversation. Je croyais que du moment...

L'appariteur sourit.

— Vous savez, ces Messieurs ont tellement de travail...

Bridet allait partir lorsque la porte de la chambre 12 s'ouvrit. Un homme parut. C'était Rouannet.

– Ah! monsieur Bridet, s'écria-t-il, justement je voulais vous voir. Est-ce que vous ne pouvez pas m'attendre un instant? Je reviens tout de suite.

Bridet se mit à arpenter le hall. Il sentait un grouillement confus autour de lui. Des papiers le concernant circulaient de bureau en bureau. Pourquoi? Comment se faisait-il qu'on ne lui disait rien? C'était de plus en plus inquiétant. L'attitude de Basson était bizarre. Il avait été cordial et, tout à coup, il avait changé. Et ce rapport? Un rapport de qui et sur quoi? Mais Rouannet ne venait-il pas de lui parler avec beaucoup de gentillesse? « En réalité, il ne se passe rien. C'est Yolande qui a gaffé en téléphonant. C'est toujours la même chose, pensa-t-il, en se souvenant de Rouannet, les étrangers sont plus simples et plus gentils que les amis. »

Rouannet reparut peu après. Il était toujours aussi respectueux qu'au restaurant. On sentait que, par manque de psychologie, il s'imaginait que Bridet appartenait à cette classe sociale un peu haineuse et un peu aigrie qui venait de prendre le pouvoir et qui, quoique encore barrée à certains postes par les vieux éléments, montrait bien qu'elle était consciente de sa force.

– Je vous en prie, asseyez-vous, monsieur Bridet, dit Rouannet en poussant un fauteuil et en se déployant en amabilités.

Bridet était surpris que Rouannet occupât un bureau aussi grand et que les employés lui témoignassent cette déférence que lui-même témoignait à tous les jeunes fonctionnaires.

– J'allais vous écrire, dit Rouannet.

Bridet remarqua qu'il avait une conscience beaucoup plus nette de son rôle que les Outhenin, Basson,

Vauvray et Cie. Il n'avait pas l'air de croire, comme on dit, que c'était arrivé. Il ne sonnait pas pour demander le moindre service.

— Attendez, dit-il après avoir cherché réellement un papier.

Il ouvrit une porte, appela une secrétaire. Comme elle tardait, il passa dans la pièce voisine.

— Excusez-moi, dit-il en revenant.

Il avait laissé la porte ouverte.

— Apportez-moi le sauf-conduit de M. Bridet! cria-t-il comme personne ne venait.

Il s'assit enfin.

— Je voulais vous écrire, continua-t-il, pour vous dire que vos papiers étaient prêts. Nous avons reçu avant-hier une réponse à notre télégramme. Le gouverneur ne fait naturellement aucune objection à votre venue en Afrique. Je dois vous dire d'ailleurs que notre demande n'était que pure courtoisie à son égard. Il n'a qu'à s'incliner. Mais avant de faire taper votre sauf-conduit, je voulais vous demander si vous ne préféreriez pas qu'il portât la mention « aller et retour ». Il me semble que c'est plus sage. Au cas où vous ne vous plairiez pas là-bas, vous n'auriez besoin de rien demander pour revenir. L'Afrique, c'est très joli, mais croyez-moi, il vaut mieux, avant d'y aller, s'assurer de pouvoir en repartir.

— Vous avez raison, dit Bridet.

— Parfait. Je fais donc établir votre sauf-conduit pour une durée de six mois. C'est ce que nous faisons habituellement. Et je le soumettrai à la signature cet après-midi.

— Qui doit signer? demanda Bridet qui venait de craindre tout à coup que ce ne fût Basson.

– Le chef de cabinet du Directeur général, M. Reynier.

– Ah! bon, c'est très bien...

Bridet venait d'avoir l'impression que la chance le favorisait enfin. Tout à l'heure, quand il avait vu Basson, celui-ci ignorait sans doute que la réponse du gouverneur était arrivée. Pour se débarrasser de son camarade, il avait répondu n'importe quoi. D'ailleurs, ces formalités ne dépendaient plus de lui. Bridet ne faisait rien de mal en paraissant oublier ce que Basson avait dit. Il n'allait tout de même pas empêcher Rouannet d'établir son sauf-conduit. Puisque ce fonctionnaire estimait qu'il pouvait le lui donner, Bridet n'allait pas lui dire : « Oui, mais il y a ceci, il y a cela... »

– Vous n'avez qu'à revenir demain, dit Rouannet. A moins que vous ne préfériez que je ne vous le fasse porter à votre hôtel.

– J'aime mieux revenir, dit Bridet.

En sortant du ministère, Bridet n'en éprouva pas moins un malaise. « J'ai agi bêtement. Je n'aurais jamais dû reparler à Basson de mes papiers. Il avait accepté. J'ai l'air maintenant de faire des démarches en cachette, de ne tenir aucun cas de lui. »

Bridet alla déjeuner. Il était toujours préoccupé. L'histoire de la signature surtout l'inquiétait. Est-ce que ce M. Reynier allait signer comme cela, sans s'informer, simplement parce que la pièce lui était présentée? Basson lui avait-il parlé de Bridet? Ce M. Reynier n'allait-il pas se lever tout à coup, aller trouver Basson, lui dire : « Mais je croyais que vous ne vouliez pas lui donner de sauf-conduit ? »

« Si Basson me fait une observation, pensa Bridet, je n'aurai qu'à lui répondre : Tu es parti si vite... Je n'ai pas compris ce que tu m'as dit... Quand Rouannet m'a appelé, j'ai cru que tu étais au courant, que c'était toi-même qui avais arrangé les choses avec Rouannet. Je ne pouvais tout de même pas être mieux renseigné que tes services eux-mêmes. »

Mais il avait beau essayer de se rassurer, Bridet n'avait pas la conscience tranquille. Il sentait bien qu'il y avait dans sa conduite quelque chose d'équivoque. Il réfléchit pendant tout le repas, puis, à la terrasse d'un café, vers trois heures, fatigué de penser à cette histoire, il fut pris tout à coup d'un immense dégoût pour Vichy. Il n'avait qu'à partir immédiatement. Jamais il ne remettrait les pieds dans cette ville abominable. Il n'y avait rien à espérer de gens pareils. On le lanternait. On cherchait à le mettre dans une position grotesque. Il se pouvait même que tout cela fût combiné. Rouannet, Reynier, Basson étaient de mèche. Ils allaient lui jouer la grande scène de la comédie. « Comment, vous avez fait cela ! Mais vous ne vous rendez pas compte de la gravité de vos actes ! » Il valait mieux partir immédiatement. Ils n'avaient qu'à le garder, leur sauf-conduit.

Cet accès de colère passé, Bridet prit la décision qui lui paraissait la plus simple. Quoi qu'il arrivât, il quitterait Vichy le lendemain, mais avant de partir il irait une dernière fois au ministère. Il demanderait Rouannet. Si celui-ci se dérobait, si le sauf-conduit n'était pas signé. Bridet ferait semblant de ne pas s'en étonner. Il dirait, pour ne pas éveiller de soupçon, qu'il reviendrait dans l'après-midi, le lendemain, mais aussitôt, sans hésitation ni regret, il se rendrait à pied à Cusset. Là, il prendrait un car pour Saint-Germain-des-Fossés où il monterait dans le premier train pour Lyon. De cette façon, il couperait à la surveillance de la gare de Vichy.

Cette ligne de conduite fixée, il pensa qu'en attendant il ne devait rien négliger qui pût consolider sa position vis-à-vis des fonctionnaires de la police. Au lieu de traîner dans les rues, il irait tout de suite rendre visite à Laveyssère. Il ne lui demanderait rien. Il lui parlerait de choses et autres, il laisserait entendre qu'il s'habituait à Vichy, qu'il s'y plaisait même, qu'il n'était pas du tout pressé de partir. De temps en temps, il ferait cependant une allusion discrète à un départ éventuel. Peut-être irait-il en Afrique. On s'occupait justement de lui, à l'Intérieur. On était en train de lui établir un sauf-conduit. On avait télégraphié au gouverneur de l'Algérie. Il ne savait pas si celui-ci avait répondu. Basson n'avait rien reçu. Mais, d'autre part, dans les services, il semblait qu'une réponse fût arrivée. Il comptait passer le lendemain à l'hôtel des Célestins pour en avoir le cœur net. Mais au fond, il ne tenait plus à partir. Quand il était venu à Vichy, il avait cru que c'était dans l'Empire qu'il pourrait le mieux servir la France. Depuis, il avait parlé à beaucoup de monde et maintenant, il avait le sentiment qu'en restant il serait plus utile encore.

Quand il arriva devant l'Hôtel du Parc, il n'osa entrer. C'était insensé, mais il avait peur que toutes ces polices militaires, personnelles, civiles, municipales qui montaient la garde à l'entrée, qui allaient et venaient dans le hall et se consultaient à chaque instant, au lieu de le diriger simplement sur le bureau de Laveyssère, ne lui fissent subir un interrogatoire dont il n'était pas sûr de se tirer à son avantage.

Il alla se promener sous l'interminable marquise qui recouvre l'allée macadamisée longeant le boulevard Albert-Ier. Décidément, il n'était pas de taille à lutter avec tous ces gens.

CHAPITRE 7

Le lendemain, Bridet se leva très tôt. Il avait décidé de régler sa note et de déposer sa valise dans un petit café voisin de la station des cars. Ensuite, seulement, il se rendrait au ministère. De cette façon, il se sentirait plus libre. Quoi qu'il arrivât, il partirait le jour même, avec ou sans papiers.

Il n'y avait personne dans le bureau de l'hôtel des Deux-Sources. Il frappa à la porte vitrée, l'ouvrit, avec l'espoir que le bruit attirerait quelqu'un. Il posa sa valise sur le canapé canné de l'entrée, puis s'engagea dans le long couloir qui faisait face à l'escalier. Au fond de ce couloir se trouvait une porte qui communiquait avec un café voisin. Bridet s'était souvent demandé si les deux établissements, l'hôtel et le café, appartenaient à la même propriétaire, tant la clientèle de l'un et de l'autre était différente. Il entrouvrit la porte. Sur le comptoir, des tranches grillées de mauvais pain remplaçaient les croissants.

– Est-ce que la dame de l'hôtel est là? demanda Bridet. Je quitte ma chambre et je voudrais régler ma note.

– Elle n'est pas dans son bureau?

– Non.

– Attendez, je vais voir.

Une grosse femme qui portait un tablier blanc partit à la recherche de la propriétaire.

– Elle doit être dans sa chambre, dit-elle, après avoir ouvert deux ou trois portes.

Bridet attendit devant le bureau. Personne n'était encore sorti car aucune clé ne pendait aux crochets des cases. Bridet se frottait les mains. Il avait cette manie après avoir fait sa toilette. Il se demandait, depuis son réveil, quelle était l'heure la plus convenable pour aller voir Rouannet. Neuf heures et demie était un peu tôt, quoiqu'on affectât d'être matinal, à Vichy. Dix heures, oui, dix heures, ce n'était pas mal. Ou dix heures et quart. Mais Basson risquait d'être déjà arrivé. « J'aurais dû me renseigner auprès de l'appariteur, hier, puisque justement je cherchais quelque chose à lui dire. »

A ce moment, il aperçut la grosse femme au tablier blanc qui revenait du premier étage.

– Madame descend, dit-elle.

Un instant après la propriétaire de l'hôtel parut. C'était une femme blonde, mais déjà âgée. Elle portait un peignoir de couleur voyante. Elle donnait néanmoins une impression de très grande respectabilité. « Elle a déjà préparé ma note, pensa Bridet en remarquant qu'elle tenait à la main une enveloppe. Elle a fait vite. »

– Vous partez, Monsieur ? dit-elle en tendant cette enveloppe à Bridet.

– Oui.

– Bien. Je vais vous préparer votre note.

– Ce n'est pas la note ? demanda Bridet en montrant l'enveloppe.

– Non, non. C'est une lettre qu'on a apportée pour vous ce matin.

Bridet sentit son cœur se serrer.

– Pourquoi ne l'avez-vous pas mise dans ma case ?

– On m'a priée de vous la remettre en main propre.

Bridet déchira l'enveloppe, mais il tremblait si bien qu'il déchira le contenu en même temps. En rajustant les deux morceaux, il lut :

« État Français.

« Sécurité Nationale.

« Cabinet du Directeur.

« H. C. 17.864.

« Vichy, le 13 octobre 1940.

« M. Joseph Bridet est prié de passer à la Sécurité Nationale, 18, rue Lucas, jeudi matin, à dix heures, pour affaire le concernant.

« Pour le Directeur général. »

Sur un cachet rouge, une sorte de serpent représentait la signature. En travers et souligné, le mot « Convocation » était écrit à la plume.

– Voici votre note, dit la propriétaire.

Bridet regarda avec étonnement le long papier étroit, de ce format des factures, qu'on lui tendait. Pendant qu'il avait lu la convocation, la propriétaire s'était assise à son bureau. Elle avait cherché une plume, débouché une bouteille d'encre, consulté ses livres, fait le relevé des suppléments, additionné tous les chiffres sur un papier à côté, reporté le total sur la note. Elle s'était levée, elle lui avait apporté cette note. Elle avait fait tout cela et il ne s'en était même pas aperçu.

Bridet paya et sortit. Des nuages gris, fondus les uns dans les autres, cachaient le ciel. Il était huit heures et demie. Peu de gens circulaient dans les rues. On eût dit qu'il y avait eu une fête la veille. Les chaises étaient encore pêle-mêle autour du kiosque à musique. Il y en avait d'isolées au pied des arbres, de renversées, de rassemblées par cinq ou six ou par deux, évoquant des groupes de vieilles dames ou des couples d'amoureux. Bridet entendit chanter. Un détachement de jeunes gens en uniforme, mais sans armes, passaient la tête haute, avec une fierté ombrageuse. Le mot « espérance » revenait sans cesse sur leurs lèvres.

Bridet marcha pendant quelques minutes, droit devant lui, sans penser, comme si rien ne s'était passé, de la façon la plus normale qui fût, par cette réaction instinctive qui, devant le malheur et la douleur, nous fait cacher notre émotion le plus longtemps possible.

Puis il s'arrêta, relut la convocation. « Ça y est... » murmura-t-il. Il se souvint de la journée de la veille. « Ça y est. Ils vont dire que j'ai essayé d'obtenir frauduleusement mes papiers. Ils vont m'arrêter. Ils ont leur motif à présent. Je sentais bien aussi que je ne devais pas faire ça. Comment ai-je pu m'imaginer une seconde que j'allais les rouler ? Ils doivent être furieux ! C'est ce barbu de Rouannet qui a fait le coup. Il devait être de connivence avec Basson. Tout ça, c'était arrangé, et moi, comme un imbécile, je suis tombé dans le panneau. En fait de gaullisme, je suis gaullé. »

Bridet croisa encore le détachement qu'il avait déjà rencontré et dont l'officier, marchant en tête ne se retournait jamais, tellement il était sûr de la parfaite tenue de ses hommes.

A ce moment, Bridet eut le sentiment que rien ne

pouvait lui être reproché. Sa défense était facile. Il était de bonne foi. Il n'avait pas cru mal agir. Il dirait à la Sécurité nationale qu'il se proposait justement d'aller voir monsieur Basson. Ce nom ferait son petit effet. Il dirait que c'était monsieur Rouannet qui l'avait appelé, qui le premier lui avait parlé de son sauf-conduit. Il n'avait pas pu s'imaginer une seconde que monsieur Rouannet outrepassait ses droits. Il dirait : « Je ne savais pas. Je ne pouvais tout de même pas me méfier d'un fonctionnaire. »

Après avoir constaté que personne ne le suivait, Bridet pensa qu'après tout, il était toujours libre. Il pouvait très bien ne pas l'avoir reçue, cette convocation, ne pas s'y rendre. En effet, si en sortant il n'avait pas demandé à voir la propriétaire, elle n'aurait pas pu la lui remettre. Rien ne l'empêchait encore de partir. Il pouvait très bien prendre le premier car pour Saint-Germain-des-Fossés, disparaître.

Tout en marchant, il reprenait confiance. Qu'est-ce qui prouvait que cette « affaire le concernant » était dangereuse pour lui ? Cette affaire était peut-être, au contraire, un événement heureux. On avait décidé de le charger d'une mission. On voulait simplement lui demander un renseignement. Il n'y avait rien contre lui, rien d'écrit, de tangible. Il n'avait d'ailleurs rien fait. Il avait dit, il y a quelque temps, à bien des gens, qu'il cherchait à rejoindre de Gaulle, mais s'il fallait arrêter tous ceux qui avaient dit la même chose... En revanche, depuis qu'il était ici, il avait assez dit combien il admirait le Maréchal. Il avait même peut-être un peu exagéré le jour où il avait dit à Laveyssère qu'il le vénérait.

En supposant que certains aient été mis au courant des propos qu'il avait tenus ailleurs, il n'y avait pas de raison d'accorder à ceux-ci plus de créance qu'à ceux qu'il tenait aujourd'hui. Tout ce qu'on pouvait contre lui, c'était témoigner de la méfiance, le tenir à distance. Au fond, on le convoquait peut-être pour lui annoncer qu'on ne pouvait lui donner le sauf-conduit. On allait lui dire que, réflexion faite, on estimait son départ inopportun. Ce mot d'« inopportun » était très apprécié en ce moment. Il était d'une fermeté polie qui plaisait énormément aux autorités vichyssoises.

CHAPITRE 8

A dix heures précises, Bridet arriva rue Lucas. Il avait renoncé à déposer sa valise dans un café voisin de la station de cars de peur, au cas où il eût été suivi, qu'on ne supposât qu'il ne voulait pas se rendre à la convocation. Il l'avait confiée à un commerçant qui fit d'ailleurs des difficultés pour en accepter la garde.

La rue Lucas, toute proche du Parc, était la plus paisible qui fût. On n'y voyait aucun magasin. Par contre, à l'entrée de presque chaque immeuble, de superbes plaques de médecin étaient fixées. Bridet eut beaucoup de difficultés à trouver le bureau de la Sécurité nationale. Aucune indication extérieure n'était visible. Sous la voûte, rien non plus. Il ouvrit une porte vitrée qui donnait sur un vaste hall, au milieu duquel s'élevait l'escalier principal. A la boule de cuivre ciselé terminant la rampe, un écriteau de carton était accroché. Les deux mots « Sécurité nationale » y étaient écrits, mais sans mention d'étage.

Comme il ne semblait pas y avoir de concierge, Bridet ressortit, frappa à une fenêtre dans la cour. « Ça c'est bien l'esprit fonctionnaire, pensa-t-il. Ces messieurs se croient indispensables. On ne peut pas se passer d'eux, n'est-ce pas? Si on veut les voir, eh! bien, on n'a qu'à se donner la peine de les chercher. Ce n'est pas à eux de se déranger. »

Les locaux de la Sécurité nationale étaient installés dans l'appartement de l'entresol. Seules les heures d'ouverture étaient inscrites à la porte. Bridet sonna. C'était ridicule, mais le fait que l'invitation d'entrer sans frapper ne figurât pas sur la porte lui fut désagréable. Personne ne répondit. Il tourna le bouton et se trouva dans un vestibule meublé d'une table de bois blanc et d'une chaise réservée à un employé. Celui-ci était absent. Bridet lut le mot « Renseigne-ments ». Il frappa à une porte.

– Entrez, cria-t-on.

Il se trouva en présence de quatre hommes assis chacun devant un petit bureau individuel. Il eut le sentiment qu'il avait interrompu une conversation. Ces hommes l'examinèrent. Bridet s'approcha de celui qui était le plus près de la porte, et lui montra la convocation. L'employé la lut plusieurs fois sans doute, car il resta un long moment les yeux fixés sur ces quelques lignes.

– C'est vous, Monsieur Bridet? demanda-t-il enfin.

– Oui, c'est moi.

– Monsieur Joseph Bridet?

– Oui, oui.

L'employé se tourna vers ses collègues, regrettant visiblement de ne trouver d'autres questions à poser.

– Le chef n'est pas encore arrivé, hein?

Bridet pensa une seconde qu'il pouvait en profiter pour partir. Il dit :

– Dans ce cas voulez-vous être assez aimable de dire que je suis venu et que je repasserai plus tard.

86

Les quatre hommes se regardèrent.

– Si vous êtes convoqué, il vaut mieux que vous attendiez, dit l'un d'eux.

– J'étais convoqué pour dix heures.

– Oui, oui, je le sais, M. le Directeur ne va pas tarder, dit un autre qui voulait paraître avoir plus d'usage que ses collègues.

– Ah, très bien, dit Bridet.

– Vous n'avez qu'à vous asseoir dans l'entrée. D'habitude, il est toujours là, il est en retard.

Bridet s'assit sur un banc de chêne poli placé le long du mur. Une ampoule sans abat-jour éclairait le vestibule. Un peu de clarté venait aussi par une porte de verre granité, celle de l'ancienne cuisine probablement. Il n'y avait pas de tapis, mais des clous de cuivre demeuraient encore fichés dans le parquet. Sur un mur, pas au milieu, un peu dans l'ombre, une petite photographie du général Weygand. Il était en uniforme, mais nu-tête, ce qui lui donnait l'air d'un homme indépendant, prêt à s'engager dans la voie qu'il jugerait la meilleure au moment opportun.

De temps en temps, la porte d'entrée s'ouvrait. Personne ne semblait s'apercevoir de la présence de Bridet. Les visiteurs s'engageaient sans hésitation dans le couloir, entrouvraient des portes, les refermaient.

Bridet était moins inquiet. Il se disait que s'il y avait eu quelque chose de vraiment grave, le directeur n'eût pas été en retard. Le peu d'empressement qu'il mettait à le recevoir était l'indice qu'il avait à s'occuper d'affaires plus importantes. Bridet alluma une cigarette. Il remarqua que les verrous avaient été ôtés, sans doute par les précédents locataires, et qu'il y avait à la place, dans la porte, des trous aussi gros que des pièces de deux francs. Ce détail avait quelque chose de sympathique. On semblait camper. On semblait ne pas songer à arrêter les gens.

Au bout d'une demi-heure d'attente, Bridet se leva et se mit à marcher de long en large dans le vestibule. Déjà les visiteurs qu'il avait vus entrer étaient ressortis. Certains même étaient revenus. Cela devenait gênant d'être toujours là. Le directeur, d'ailleurs, était peut-être arrivé et on avait oublié de prévenir Bridet.

Ce dernier frappa doucement à la porte de la pièce occupée par les quatre employés.

– Nous le saurions, dirent-ils, s'il était là.

Bridet retourna s'asseoir dans l'entrée. Il pensa qu'il n'avait qu'à laisser un mot, écrire qu'il était venu, qu'il avait attendu, mais qu'ayant un rendez-vous, il avait dû partir.

A ce moment un jeune homme élégant, venant du fond de l'appartement, s'arrêta devant lui.

– Vous êtes monsieur Bridet? demanda-t-il.

– Oui.

– M. Saussier s'excuse d'être en retard. Il va arriver dans un quart d'heure au plus. Il vous prie de l'attendre.

– C'est très ennuyeux, dit Bridet réconforté par ce ton courtois. Je dois justement voir M. Basson tout à l'heure, à l'Intérieur. Est-ce qu'il est onze heures?

Le jeune homme regarda sa montre.

– Il n'est pas onze heures, dit-il.

– Oui, mais il faut le temps d'y aller.

– Voulez-vous que je téléphone à M. Basson pour lui dire que vous êtes ici?

– Oh! non, ce n'est pas la peine.

– Voulez-vous téléphoner vous-même?

Bridet feignit de trouver l'idée excellente, puis tout à coup, comme s'il se ravisait:

– Oh! après tout, il m'attendra.

Bridet se rassit. Une demi-heure s'écoula encore, coupée par des allées et venues de plus en plus nombreuses. De temps en temps, le jeune homme élégant revenait pour faire patienter le visiteur. A la fin, comme frappé de n'avoir pas eu cette idée plus tôt, il lui dit :

– Mais venez donc dans mon bureau. Vous serez beaucoup mieux. Excusez-moi de ne pas y avoir pensé avant.

– C'est qu'il est déjà onze heures et demie, remarqua Bridet.

– Si c'est à cause de M. Basson que vous vous inquiétez, rassurez-vous. Je viens de téléphoner à l'Intérieur. Il ne viendra pas ce matin.

– Ah! bon, dans ce cas, tout est changé, dit Bridet en paraissant soulagé. Je peux attendre.

Au fond du couloir, se trouvait un réduit où étaient remisés un buffet de salle à manger démonté et un sommier. Le secrétaire ouvrit une autre porte. A la grande surprise de Bridet elle donnait sur un petit escalier intérieur tout neuf.

– Je vous fais prendre le chemin le plus court, dit le secrétaire. Excusez-moi, je passe devant vous, je vous montre le chemin.

– Mais où allons-nous? demanda Bridet.

– A l'étage au-dessus.

Un instant après, Bridet se trouvait dans un autre appartement qui n'avait rien de commun avec celui qu'il quittait. Il était meublé luxueusement. Du hall, auquel un tapis rouge, des appliques à trois branches et une sorte de desserte à pieds dorés donnaient grand genre, on apercevait, à travers les deux battants vitrés d'une porte, un salon tout aussi somptueux.

89

Le piège

– Je vais prévenir monsieur le Directeur, dit le secrétaire. Il doit être arrivé maintenant.

Bridet eut une sorte de haut-le-corps comparable à un hoquet silencieux. Que signifiait cette attitude bizarre du jeune homme élégant? Pourquoi disait-il à présent que le directeur était là, alors qu'il était venu simplement chercher le visiteur pour le conduire dans un endroit plus confortable? Bridet n'eut pas le temps de réfléchir davantage. Le secrétaire entrouvrit la porte vitrée.

– Est-ce que M. Bridet peut entrer? demanda-t-il.

La réponse parvint dans le hall :

– Mais naturellement.

Le secrétaire s'effaça et Bridet se trouva tout à coup dans la grande pièce claire et gaie. Il aperçut à sa gauche, dans le fond, derrière un bureau qu'on ne pouvait voir du hall, un homme assis. Cet homme se leva. Il avait des cheveux plats très clairsemés, comme peints sur le sommet de la tête. Il portait un col amidonné et, à sa boutonnière, une minuscule rosette de la Légion d'honneur dont le rouge vif était mis en valeur par la teinte sombre du veston. Bridet eut tout de suite le sentiment qu'il ne se trouvait plus, comme jusqu'à présent, en présence de camarades de son âge, de jeunes hommes prenant des airs énigmatiques pour imposer, mais en présence d'un véritable haut fonctionnaire. Ce monsieur Saussier était visiblement quelqu'un. Il ne devait rien à la défaite. Il avait déjà dû occuper d'autres postes importants avant la guerre.

– Excusez-moi, dit M. Saussier, de vous avoir fait attendre. Veuillez vous asseoir. Je vous ai prié de passer me voir ce matin parce que j'ai à vous parler.

– Mais, Monsieur, cela n'a aucune importance, c'est tout naturel.

– Vous êtes, je crois un grand ami de notre sympathique Basson.

– Je ne suis pas un grand ami. Je suis simplement un ami de Basson, répondit Bridet prudemment.

– Vous avez été quand même heureux de le revoir?

– Très heureux, dit Bridet.

– Vous saviez qu'il était ici?

– Je l'ai appris à Lyon.

– Comment? demanda M. Saussier négligemment.

On sentait qu'il était un peu gêné qu'un homme de son importance posât des questions en apparence si anodines. Aussi le faisait-il en annotant des papiers, comme si, occupé par ailleurs, il ne parlait que pour empêcher l'entretien de tomber.

– Le plus simplement du monde. Dans les semaines qui ont suivi l'armistice, nous avons tous cherché à savoir ce que nos amis, et quelquefois même des gens auxquels nous n'attachions aucune importance, étaient devenus.

– Oui, oui, j'ai éprouvé cela. Quels souvenirs!

– D'ailleurs, je n'ai pas été voir que lui. J'ai été voir également Laveyssère que vous connaissez sans doute. Il est au cabinet du Maréchal. C'est un de mes amis, ou plutôt un ami de la famille de ma femme. La mère de James Laveyssère est née Quatrefage. Mon beau-père a été longtemps le directeur de la F.A.L., la compagnie maritime France-Amérique latine, dont M. Laveyssère père était un des fondateurs.

– Oui, oui, mais ne nous écartons pas trop de notre sujet. Revenons à Basson. Vous lui aviez demandé, d'après ce qui m'a été raconté, de vous aider à partir, c'est bien cela, n'est-ce pas?

– Pas exactement. Je lui ai dit : « Je viens me mettre au service du Maréchal. » Mon zèle l'a fait un peu sourire. Il m'a dit : « C'est très beau de ta part, mais as-tu quelque chose à proposer? » J'ai pensé alors à notre empire. Je lui ai dit : « Vous, vous devriez envoyer des hommes sûrs là-bas. »

– Et qu'est-ce que Basson vous a répondu?

– Il m'a approuvé. Il m'a dit d'ailleurs que c'était ce qu'on faisait et qu'il m'y enverrait dès qu'il le pourrait. Je crois d'ailleurs que c'est fait. Je devais justement passer ce matin à l'Intérieur. Je ne l'affirmerai pas, mais il me semble bien que mes papiers sont prêts.

M. Saussier eut l'air de se réjouir de cette nouvelle.

– Au fond, dit-il, Basson a été très gentil pour vous.

– Très.

Saussier appuya sur un bouton. Un homme parut dans l'embrasure d'une porte, non pas à la manière d'un secrétaire, mais avec la familiarité d'un parent ou d'un ami.

– Venez, Schlessinger.

C'était un homme grand, mince, voûté, avec un long nez busqué et fin. Il portait des binocles d'or. Il avait la coquetterie de se vieillir en laissant tomber les cendres de sa cigarette sur lui. Il était d'une origine plus difficile à déceler que celle des Outhenin, Basson, Vauvray, Rouannet, Saussier même. Il donnait l'impression d'un universitaire ne faisant pas personnellement de politique, mais ayant su se rendre indispensable dans des milieux où on en faisait. Il avait peut-être pensé que ses longues études le distingueraient plus là où elles n'étaient pas nécessaires. Il avait peut-être renoncé au but pour lequel il les avait faites et sacrifié un idéal de jeunesse pour une considération et des profits plus rapides.

Bridet sourit. En réalité, il se trouvait dans un état d'énervement extraordinaire. Il ne comprenait rien à ce qui se passait. Il ne voyait pas pourquoi on l'avait convoqué. On semblait tenir à échanger avec lui quelques idées. Mais enfin, on ne convoque pas les gens à la police pour échanger des idées...

M. Saussier s'adressa à son collaborateur.

– Je voudrais vous répéter ce que vient de me dire M. Bridet, c'est très intéressant.

– Ah bon, dans ce cas, attendez un instant, dit Schlessinger. Je vais chercher ma serviette.

Bridet regarda le directeur de la Sécurité avec étonnement. Qu'avait-il donc dit de si intéressant?

Schlessinger revint peu après. Il s'assit près du bureau, écarta des papiers, posa sa serviette devant lui.

– Prenez ma place, dit Saussier, vous serez mieux.

– Oh! merci, ce n'est pas la peine, répondit Schlessinger en jetant un coup d'œil à sa montre-bracelet. Vous savez qu'il est midi et demi. On ferait peut-être mieux de commencer cet après-midi.

– J'en ai pour quelques minutes. Il est préférable que vous soyez au courant. Nous continuerons cet après-midi, si c'est nécessaire. Je vais vous résumer rapidement les déclarations de M. Bridet.

– Les déclarations! s'écria Bridet en riant. Le mot est un peu solennel...

– Voici, continua Saussier sans avoir paru entendre cette interruption. M. Bridet prétend que, désirant servir notre gouvernement, il est venu de lui-même à Vichy, sans y avoir été invité par personne, pour prendre contact avec des amis. Il a vu Basson, M. Laveyssère. C'est bien cela, monsieur Bridet?

– En effet, mais avec cette nuance que je ne prétends pas, car c'est la vérité.

– Ça ne concorde pas exactement avec ce que m'a dit Basson, observa Schlessinger qui n'avait pas encore ouvert sa serviette.

– Vous croyez donc que ce serait Basson qui aurait fait le premier pas? poursuivit Saussier.

Ces trois derniers mots : « le premier pas » causèrent un froid à Bridet. Schlessinger se tourna à ce moment vers ce dernier. Il avait une cigarette à la bouche. La fumée lui faisait cligner les yeux.

– Vous affirmez n'avoir jamais vu Basson ailleurs qu'à Vichy, ne l'avoir pas vu à Lyon par exemple?

– Jamais, s'écria Bridet qui, tout à coup, pour la première fois, venait d'avoir l'impression que ce n'était plus lui qui était en cause, mais Basson.

Ce dernier avait fait quelque chose de grave. Ne pouvant répondre de ses actes devant ses collègues, un fonctionnaire étranger à la police, mais ayant des attaches avec elle, menait l'enquête.

Son regard se troubla, au point qu'un liquide étranger semblait s'être répandu sur la cornée. Si Basson était coupable de quelque chose, Bridet en grossissant son amitié pour lui, en se recommandant d'elle, s'était reconnu son complice.

Schlessinger ouvrit sa serviette. Il en tira quelques papiers qu'il passa à Saussier qui les lut attentivement.

– Vauvray et Keruel auraient donc été trompés par les Renseignements généraux, remarqua Saussier peu après.

– Pourquoi?

– Je croyais qu'il n'existait pas de double.

– Si, si, Hild n'est pas si bête. Il les connaît.

Depuis une minute, Bridet cherchait comment revenir sur ce qu'il avait dit, comment ôter à son amitié pour Basson l'importance qu'il lui avait imprudemment donnée. Il transpirait tellement que la sueur coulait jusqu'à son col et en mouillait le bord. Il n'avait pas perdu une réplique du dialogue des deux policiers, mais ces hommes étaient maîtres dans l'art de se comprendre à demi-mots devant un tiers.

– Vous m'intriguez, Messieurs, dit-il en essayant d'avoir l'air naturel. De quoi s'agit-il donc?

– Basson a affirmé qu'il vous connaissait en effet, que vous étiez venu le relancer, mais qu'il vous avait chaque fois éconduit et qu'il n'avait jamais songé une seconde à vous donner un sauf-conduit pour l'Afrique. Il a même précisé que vous ne lui inspiriez aucune confiance.

– Comment! s'écria Bridet en simulant de l'indignation. Voulez-vous que je lui téléphone devant vous?

Les deux chefs de la police se firent un signe.

– Il n'a plus le téléphone, ne put s'empêcher de dire M. Saussier.

– Tâchez de passer après déjeuner à l'hôtel du Parc, fit Schlessinger. Il faudrait que de la Chazelle nous confie les télégrammes, du moins jusqu'à ce soir.

Bridet se leva à demi.

– Je tiens à téléphoner, répéta-t-il.

– Ne vous énervez pas, monsieur Bridet.

– Il y a trois heures que je suis là. Si c'est de cette façon qu'on traite ceux qui veulent servir le Maréchal!

– Faites quand même attention à ce que vous dites, monsieur Bridet.

– Le Maréchal ignore certainement ce qui se passe autour de lui. Il ne le tolérerait pas s'il le savait.

Saussier et Schlessinger se regardèrent.

– Vous commencez à tirer un peu trop sur la corde, observa le directeur de la Sécurité. Laissez le Maréchal en paix.

– Nous reprendrons notre conversation, dit Schlessinger en regardant sa montre. Il est déjà une heure vingt.

S'adressant à Bridet, mais sur un ton beaucoup moins cordial qu'au début, comme si le mouvement d'humeur de Bridet lui rendait sa liberté, Saussier poursuivit :

– Je crains que vous ne trouviez plus rien à manger dans les restaurants. Vous allez descendre à l'étage au-dessous. Un des messieurs que vous avez vus en arrivant va vous conduire dans un très bon petit restaurant ami qui se trouve tout près d'ici. De cette façon, vous pourrez revenir tout de suite après déjeuner, afin que nous en finissions avec cette histoire.

Bridet faillit dire qu'il avait rendez-vous, mais il avait tellement peur de s'apercevoir qu'il était prisonnier qu'il préféra rester dans le vague.

– C'est une très bonne idée! dit-il.

CHAPITRE 9

Bridet déjeuna avec un inspecteur du nom de Bourgoing qui faisait semblant, un peu lourdement, vis-à-vis des garçons et des clients, d'avoir retrouvé un vieux camarade auquel il tenait absolument à faire plaisir. Après le repas, Bourgoing commanda des liqueurs. On sentait qu'en ces circonstances ses supérieurs n'épluchaient pas de trop près les notes de frais.

A trois heures et demie, ils retournèrent rue Lucas. En cours de route, Bridet eut une velléité d'indépendance. Il entra, sans prévenir son compagnon, dans un bureau de tabac. L'inspecteur faillit le suivre, mais se ravisant, il l'attendit à la porte.

Ils montèrent directement au premier étage par le grand escalier, mais au lieu d'être conduit comme il s'y attendait, directement chez M. Saussier, Bridet fut introduit dans une petite pièce à la porte de laquelle la carte de visite d'un certain Yves de Keruel de Mermor était fixée.

Il n'y avait pas d'œillets de serre sur le bureau comme sur celui de Basson, mais entre deux plaques de verre que maintenait un support en nickel, une grande photographie représentant une très jolie femme tenant dans chacun de ses bras un enfant d'une dizaine d'années. La pose rappelait celle d'un tableau de Mme Vigée Le Brun. Cette évocation de la vie privée de M. de Keruel de Mermor était tellement parfaite qu'elle n'avait rien de familial et qu'il se glissait dans l'esprit la pensée que cette photographie ne provenait que d'un magazine élégant.

L'attente devenait intolérable. A mesure que l'après-midi s'écoulait, Bridet avait l'impression de plus en plus nette qu'il n'allait pas recouvrer sa liberté, que le temps manquerait pour en finir, comme disait Saussier, avec son histoire. On le garderait alors. Puisqu'on ne l'avait pas laissé déjeuner seul, il n'y avait pas de raison qu'on le laissât davantage dîner ou passer la nuit. De temps en temps, Bourgoing venait le prier de patienter. M. Saussier n'allait pas tarder, disait-il, et pourtant, quand la porte était ouverte, Bridet entendait la voix du directeur.

A cinq heures, Keruel lui-même entra dans la pièce. Bourgoing l'accompagnait sans raison apparente. C'était un homme grand, au visage osseux, à la pomme d'Adam saillante et qui portait avec élégance un costume de flanelle grise et une cravate de foulard bleu à pois blancs. Jusqu'à présent tous les fonctionnaires à qui Bridet avait eu affaire, avaient affecté de le traiter avec beaucoup d'égards. Pour la première fois, il n'en fut pas de même. Keruel ne prononça pas un mot.

— Je vous dérange? demanda Bridet qui tenait encore, mais bien faiblement, à garder l'apparence d'un visiteur ordinaire.

— Pas le moins du monde, répondit sèchement Keruel.

Le piège

Il s'assit à son bureau, puis sans regarder Bridet :
– M. Saussier m'a chargé de vous voir...

Cette parole glaça Bridet. Rien ne lui était plus pénible que d'avoir affaire continuellement à des gens nouveaux. C'était effrayant. Quand il croyait avoir gagné la sympathie de l'un, il s'apercevait que tout était à recommencer avec un autre. Bridet se retourna instinctivement avec l'espoir de voir l'inspecteur. C'était insensé, mais cette présence l'eût réconforté.

Keruel avait tiré un trousseau de clés de sa poche. Il ouvrit les tiroirs de son bureau, puis, décrochant le téléphone, il parla longuement sans s'occuper de Bridet. Il prenait tellement au sérieux ses nouvelles fonctions, qu'il avait mêlé ses clés, les anciennes, celles de la propriété de Bretagne, à celles de Vichy. Quand il eut terminé, il se mit à écrire. Une demi-heure s'écoula ainsi. Keruel n'avait pas encore adressé la parole à Bridet lorsque la porte s'ouvrit. C'était M. Saussier.

– Voulez-vous passer dans mon cabinet, dit-il sans paraître reconnaître Bridet. Vous viendrez aussi, ajouta-t-il en s'adressant à Keruel.

Quelques instants après, Bridet se retrouvait dans le grand bureau du matin. Mais ce n'était plus la pièce élégante et silencieuse où un chef prend ses décisions et où un étranger n'entre qu'avec précaution. Toutes les portes étaient ouvertes. Il y avait de la fumée. M. Schlessinger était assis à la place du directeur. Sa serviette était posée devant lui, sur le bureau. Deux hommes parlaient près d'une fenêtre, un troisième était assis dans un fauteuil. On entendait le bruit d'une machine à écrire venant d'une pièce voisine.

Le piège

Bridet s'arrêta, comme s'il dérangeait et Saussier lui dit :

– Entrez, entrez.

A la pensée que tous ces gens étaient réunis pour lui, Bridet fut pris un instant de panique, mais il vit que personne n'attachait d'importance à sa personne. Les portes restaient ouvertes. Il reprit confiance.

– Asseyez-vous, dit Saussier.

Bridet obéit. Il regarda Schlessinger, puis les trois inconnus. Décidément, personne ne se souciait de lui. Mais soudain son regard rencontra celui d'un de ces hommes. Une bouffée de chaleur lui monta à la tête. Ce regard s'était tout de suite détourné comme un regard surpris.

Quelques minutes s'écoulèrent durant lesquelles Bridet écoutant ce qui se disait, essaya de comprendre la raison de cette réunion. Mais la conversation portait sur le ministère des Finances. C'était, paraît-il, très habile de la part du Maréchal d'avoir cédé au désir qu'avaient les Allemands de le voir rentrer à Paris. On prenait pied ainsi dans la capitale. Dans quelques semaines, un autre ministère suivrait. Et un beau jour, sans s'être aperçu de rien, les Allemands se trouveraient devant un Gouvernement français installé solidement à Paris.

Un des deux hommes qui se trouvaient près de la fenêtre, s'approcha de Bridet.

– Une cigarette, monsieur Bridet? dit-il en pressant sur le bouton de son étui.

– Volontiers, dit Bridet effrayé de nouveau par le fait que cet inconnu l'appelait par son nom.

– Nous vous faisons perdre votre temps...

– Cela me serait indifférent, observa Bridet, si je savais pourquoi. Mais rien n'est plus désagréable que d'attendre comme cela, pendant des heures... On a un peu l'impression qu'aujourd'hui...

Bridet s'interrompit, n'osant dévoiler sa pensée.

– Oh! dit l'homme en souriant, il ne faut pas vous émouvoir. Les événements justifient ces changements dans les mœurs. Nous ne devons plus nous étonner de rien. Tout est possible aujourd'hui.

Bridet sentit que son interlocuteur, bien qu'il n'eût cessé de sourire, éprouvait une sorte de satisfaction méchante à lui parler ainsi. Le temps de la facilité, des égards, de la gentillesse était révolu. C'était un peu comme si lui, Bridet, n'avait pas compris le sens profond de la défaite, comme s'il avait la naïveté de s'imaginer que les choses pouvaient encore se passer comme en période normale.

A ce moment, M. Saussier s'approcha.

– Ne vous impatientez pas, monsieur Bridet. A propos, dites-moi, j'avais oublié de vous en parler, vous ne m'aviez pas dit que vous n'habitiez plus l'hôtel des Deux-Sources.

– Je l'ai quitté ce matin.

– Comment cela se fait-il?

– Je comptais rentrer à Lyon ce soir.

– Et vos valises?

– Je les ai laissées dans un café, près de la gare.

– Ah bon, je comprends, excusez mon indiscrétion, mais cet après-midi un de nos inspecteurs s'est rendu chez vous inutilement. On lui a annoncé que vous étiez parti, que vous aviez tout emporté.

Des bruits de voix venant du hall interrompirent M. Saussier. Il se retourna. M. Schlessinger s'était levé. On apercevait deux hommes de dos parlant à des interlocuteurs invisibles.

– Les voilà! s'écria Saussier.

S'adressant à Bridet, il annonça :

– Vous allez voir votre ami Basson.

Bridet comprit alors brusquement ce qui se passait. On allait les confronter. Tout s'éclairait. Mais pourquoi ? Que fallait-il dire ?

Peu après, Basson pénétrait dans la pièce. Keruel de Mermor le suivait, accompagné de deux hommes. Il leur fit signe de rester sur le pas de la porte. Ils obéirent avec la docilité indifférente de soldats requis pour un service d'ordre. Bridet regarda Basson, espérant rencontrer ses yeux pour y lire un conseil. Mais Basson ne parut pas le voir. Il ne sortait certainement pas d'un lieu obscur et pourtant son regard avait quelque chose de vif et de fuyant, comme celui d'un prévenu au moment où il pénètre dans une cour de justice. Il n'y avait rien de changé dans son apparence extérieure, dans sa façon d'être, il n'avait pas été touché dans sa vie physique, mais une expression d'une gravité extraordinaire, comme s'il avait eu la mort devant les yeux ou un malheur affreux, s'était gravée sur son visage, non pas à l'instant même mais, on le devinait, depuis des heures.

Il s'avança, la tête haute, très maître de lui en apparence. La lumière, venant de la petite rue bourgeoise, s'était répandue sur lui. Bridet fut alors frappé par un détail surprenant : Basson semblait avoir rajeuni. Sa pâleur semblait celle d'une jeune fille. Il n'avait plus de rides. Ses traits s'étaient affinés. La peur ou l'émotion avaient eu le pouvoir inattendu d'ôter à ce visage ce qu'il avait ordinairement de lourd et de matériel.

Bridet tendit le menton pour attirer l'attention de son ami. Celui-ci ne le vit pas ou plutôt (du moins Bridet en eut l'impression) ne voulut pas le voir.

Visiblement Basson prenait son entourage de haut et ce camarade de jadis qu'on voulait dresser contre lui, il ne daignait même pas le reconnaître. Il regarda M. Saussier. Ce dernier lui dit :

– Ce n'est pas à moi que vous avez affaire, mais à M. Schlessinger.

– Très bien, répondit Basson en se plantant face au bureau.

Était-ce parce que son cœur battait plus vite ou plus fort ? mais sous les yeux de Basson, dans le cerne, on apercevait le soulèvement régulier d'une artère. Bridet ne savait que faire. Il aurait peut-être dû se lever, serrer la main de son ami, paraître tout ignorer, mais il n'en avait pas la force. Il était cependant incapable de le quitter des yeux. Il remarqua tout à coup que Basson gardait continuellement la bouche entrouverte sans s'en douter, non dans une moue de détente, comme c'est le cas habituellement, mais pour mieux respirer.

« Pourquoi ne ferme-t-il pas la bouche ? » se demanda Bridet qui souffrait de voir son ami, dont toutes les forces tendaient à faire croire qu'il était entièrement maître de lui-même, se trahir par un détail aussi facile à corriger.

– Asseyez-vous, lui dit Schlessinger avec dureté.

– C'est inutile, répondit Basson.

Un instant après, ses lèvres s'entrouvrirent de nouveau. Dix hommes se trouvaient dans la pièce. Malgré cela, le silence se fit tout à coup, révélant que dans le brouhaha qui avait précédé, personne ne s'était vraiment laissé aller.

– Veuillez vous approcher, monsieur Bridet, dit Schlessinger.

Bridet s'aperçut que seul il était resté assis. Il se

leva précipitamment. Maintenant, il se trouvait debout, à côté de Basson, face au bureau.

– Est-ce que vous vous connaissez ou est-ce que vous ne vous connaissez pas? demanda Schlessinger, comme agacé par une comédie qui durait depuis trop longtemps.

Basson et Bridet se regardèrent ouvertement pour la première fois.

Bridet hésita un instant. Il venait d'avoir soudain le sentiment qu'il avait manqué de naturel, que lié comme tout le monde savait qu'il l'était avec Basson, il eût dû lui parler tout de suite sans y être invité, lui tendre même la main.

Basson se taisait aussi. Il examina son camarade des pieds à la tête, puis, comme si on lui avait posé cette question à propos d'un indifférent, il répondit avec froideur :

– Je connais en effet M. Bridet.

– Oui, oui, nous nous connaissons, dit ce dernier.

Basson demeura impassible. Il ne niait pas qu'il connaissait Bridet, mais on sentait qu'il méprisait cette ruse policière qui consistait à vouloir l'atteindre par l'intermédiaire d'un ami. Il n'en voulait pas à celui-ci de s'y prêter. Mais par sa froideur, il montrait aux policiers qu'ils perdaient leur temps, que son amitié pour ce camarade de jadis n'avait pas une importance telle qu'elle pût l'embarrasser dans ce qu'il avait à dire pour sa défense.

Schlessinger ouvrit sa serviette. Il n'en tira aucun papier.

– Vous affirmez, dit-il aux deux hommes, ne vous être jamais rencontrés à Lyon.

– Je l'affirme, s'écria Bridet tout heureux de dire la vérité.

Basson ne répondit pas. Par son air dédaigneux, il laissait entendre que si c'était tout ce qu'on avait à lui demander, il ne voyait pas l'utilité de répondre.

Cette attitude dut déplaire à Schlessinger, car il le prit seul à partie :

– Vous ne vouliez pas envoyer votre ami Bridet en Afrique?

– Il me l'a demandé, il le voulait, lui.

– Comment se fait-il que vous lui ayez donné un sauf-conduit? On vous avait pourtant fourni sur son compte les plus mauvais renseignements.

– Je n'ai eu connaissance de ces renseignements qu'après. Aussitôt, je l'ai évincé. Quand il est venu me voir hier, je lui ai dit que je n'avais pas de réponse.

– Oui, mais vous n'avez pas prévenu les services. Tout s'est passé comme si vous vouliez que ce départ se fît à votre insu. Ne comptiez-vous pas vous servir de Bridet comme d'un messager?

– Jamais.

– Oh! jamais, confirma Bridet.

– Vous dites, poursuivit Schlessinger, que vous l'avez évincé. Mais il est curieux que vous ayez attendu pour le faire que nous soyons en possession de vos télégrammes de Lisbonne.

Basson passa sa langue sur ses lèvres. Il transpirait, mais à peine. Aucune goutte de sueur sur son visage, mais une sorte de moiteur, comme la trace d'un linge humide sur du marbre.

– Bridet m'a demandé un sauf-conduit que je lui ai refusé, un point c'est tout, dit Basson. En supposant que j'eusse eu besoin d'un agent, je vous prie de croire que je l'eusse mieux choisi. Quant aux télégrammes de Lisbonne, c'est une autre histoire.

Schlessinger se tourna vers Bridet :

– Que faisiez-vous donc continuellement au ministère de l'Intérieur ? Et ce voyage à Lyon ? Un sauf-conduit ne nécessite pas tellement de démarches, d'allées et venues, surtout quand on est l'ami de M. Basson.

– On me priait toujours de revenir. Je comprends à présent pourquoi. Comme il vient de le dire, M. Basson n'a jamais eu l'intention de me donner un sauf-conduit. Il me lanternait, n'osant, par amitié, m'opposer un refus formel.

Bridet avait prononcé ces mots sur un ton amer. En réalité, depuis qu'il avait eu la révélation que Basson pensait comme lui, agissait contre Vichy, il s'était senti envahi d'un immense besoin de le servir, de se dévouer pour lui, de lui montrer qu'il était fidèle en amitié. Mais il n'osait le faire. Il devinait que c'était justement ce que redoutait Basson, que la froideur de celui-ci, que ce souci de le tenir à distance, venaient de ce qu'il craignait plus d'être compromis qu'aidé.

– Je crois que M. Bridet peut se retirer. Nous n'avons pas encore reçu la visite de l'informatrice dont je vous ai parlé, interrompit M. Saussier. Elle doit arriver ce soir par le train de sept heures. Son témoignage nous sera très précieux. Si j'apprends quelque chose, je ferai prévenir M. Bridet. Pour le moment, il me semble qu'il vaut mieux tâcher de tirer au clair l'histoire des télégrammes.

– N'oubliez pas que demain soir je pars pour Paris et que je ne serai de retour que samedi, dit Schlessinger.

Puis, s'adressant à Bridet, il ajouta :

– Vous pouvez vous en aller, monsieur Bridet.
Revenez demain matin.

Bridet était si heureux d'être libre et ce qui lui
arrivait était tellement inattendu après toutes ces
émotions qu'il ne put cacher sa joie, malgré la honte
qu'il avait de la montrer et de paraître avoir admis,
sans protester davantage, qu'il avait été jusqu'à cette
minute privé de sa liberté.

– Merci, merci, dit-il avec ce besoin d'amour ou
plutôt de fraternité, avec cette expression de reconnaissance, de candeur, de profonde sincérité auxquels
les policiers n'attachent aucune importance quand
leur chef vous considère comme coupable, mais qui
les émeut venant d'un homme à qui justice est rendue.

– Vous n'avez aucune raison de nous remercier, dit
Schlessinger en s'adressant à Bridet comme à un
hurluberlu.

– Tu viendras me voir, dit Basson sans cacher un
léger mépris pour ce camarade qui savait si peu se
maîtriser et surtout pour montrer à tous ces policiers
qu'il ne doutait pas de l'issue heureuse de l'enquête.

Bridet se dirigea vers la porte. Toute l'assurance
qu'il avait perdue au cours de cette effroyable journée
lui était revenue. Il s'arrêta pour allumer une cigarette. Maintenant qu'il était libre, il ne voulait pas
avoir l'air pressé de partir, il éprouvait même un
besoin incompréhensible de rester, d'assister en témoin
à ce qui allait suivre. Au moment de quitter la pièce,
il ne put s'empêcher de retourner dire encore un
mot à Schlessinger.

Il était à deux pas du bureau lorsqu'il entendit le
haut fonctionnaire-policier, qui n'avait pas prévu cet
étrange retour, dire à Saussier, sans lever le nez de
ses papiers : « C'est un sous-fifre, votre Bridet... ».

Le piège

Cette opinion peu flatteuse n'arrêta pas Bridet. Il voulait paraître n'avoir jamais douté que la vérité triompherait. Le meilleur moyen qu'on s'aperçût de sa confiance était de montrer qu'il avait de la suite dans les idées. Il était venu à Vichy demander un sauf-conduit. Est-ce qu'on allait le lui donner à présent? Il s'approcha encore du bureau. Basson ne le regarda pas. Il avait toujours la bouche entrouverte. De temps en temps, il portait avec vivacité la main à son visage comme si une mouche l'importunait. Mais ce n'était pas une mouche, c'étaient à présent des gouttes de sueur isolées qui coulaient sur sa peau.

— Excusez-moi, dit Bridet sur le ton d'un homme qui cherche à augmenter la sympathie secrète qu'il croit avoir inspirée, mais je voulais vous dire deux choses. Vous m'avez prié de revenir demain matin. Voulez-vous que je vienne vers dix heures? D'autre part, je voulais vous parler de mes papiers. Mais je vous en parlerai demain. Je vois que vous n'avez pas le temps.

— Oui, dix heures, c'est parfait, dit Schlessinger en levant les yeux et en regardant Bridet comme s'il ne savait plus très bien qui il était.

Ce dernier sortit de la pièce. Comme il traversait le vestibule d'un pas rapide, il entendit :

— Une seconde, monsieur Bridet.

Il reconnut la voix de ce Bourgoing avec qui il avait fait un déjeuner forcé et qui était en train de bavarder avec un de ses collègues. Bridet se retourna, simulant un profond étonnement.

— Vous avez quelque chose à me dire? demanda-t-il.

— On vous a permis de partir? interrogea Bourgoing.

– Oui.

– Mais moi, on ne m'a pas prévenu.

L'inspecteur prit son collègue à témoin.

– Tu es au courant ? demanda-t-il.

Bridet, qui n'avait jamais été un personnage bien important, craignit comme tant de fois dans sa vie d'être victime de subalternes.

– Je viens de prendre congé de M. Schlessinger, dit-il sèchement.

– Oui, c'est possible, mais M.Schlessinger ne m'a rien dit.

– Je vous répète que je viens de le quitter.

Les deux inspecteurs se regardèrent.

– Va voir, dit l'un.

– Ce n'est pas la peine de faire du zèle, remarqua Bridet.

– Oh! il vaut mieux que j'y aille, dit Bourgoing.

– Mon Dieu, ce que vous aimez compliquer les choses, dit Bridet à l'inspecteur qui était resté avec lui.

Peu après, Bourgoing revint.

– J'ai bien fait d'aller voir, dit-il. Nous devons le conduire là où tu sais. C'est M. Saussier qui l'a dit.

– Et M. Schlessinger ? demanda Bridet que l'inquiétude envahissait de nouveau.

– Ne me parlez pas de celui-là... Il a failli me mettre à la porte.

CHAPITRE 10

Ils dînèrent dans le restaurant où ils avaient déjeuné. Décidément cet établissement s'était attiré les bonnes grâces de la police. Bridet se demandait ce qu'on comptait faire de lui. Ses compagnons étaient très gentils. Ils lui témoignaient beaucoup d'égards. C'est ainsi qu'ils le laissèrent choisir une table. On leur servit un apéritif, puis un autre en cachette, car ce n'était pas le jour. Bien que sa situation fût plutôt moins bonne qu'à midi, Bridet éprouvait un soulagement. La journée était finie. Il ne pourrait rien lui arriver avant le lendemain. Il engagea la conversation avec ses gardiens. Ils n'avaient pas l'air de considérer leur prisonnier comme un personnage dangereux. « Cela facilite leur tâche », pensa Bridet.

Ils semblaient ne pas douter qu'il serait relâché et dans les attentions qu'ils avaient pour lui, on devinait qu'ils cherchaient à gagner sa sympathie. Bridet avait peut-être de hautes protections. Ils obéissaient à leurs chefs, mais ils n'oubliaient pas que, par on ne sait quel détour, la situation pouvait se retourner.

Le soir, l'atmosphère est toujours plus cordiale. A la fin du dîner, le patron vint s'asseoir un instant à leur table. Bridet était maintenant assez optimiste. Rien ne distinguait son groupe des groupes voisins. Ces inspecteurs étaient quand même de braves gens. Ils se conduisaient de plus en plus comme si Bridet allait être libéré le lendemain, comme s'il fallait profiter des circonstances pour faire naître une amitié qui, plus tard, pourrait être utile.

Ils en vinrent à parler de ce qu'ils allaient faire de Bridet, la nuit, mais sur le ton d'hommes qui, eux aussi, sont obligés de découcher et comme si, à eux trois, la même aventure fâcheuse était arrivée.

Après le dîner, ils n'en conduisirent pas moins Bridet au commissariat voisin, prenant un air de gens ennuyés de rentrer si tôt. Ils dirent qu'ils « la trouvaient saumâtre ».

Il était huit heures et demie. Il faisait nuit depuis longtemps. Cinq ou six agents en uniforme bavardaient dans la salle de garde. Quand les nouveaux arrivants se présentèrent, ils ne bougèrent pas. Bourgoing demanda si le chef était là. Sur la réponse négative d'un agent, il ne parut pas contrarié. « Nous venons passer la nuit », dit-il. Les agents regardèrent Bridet, non pas comme un délinquant ou un criminel ordinaire, mais comme un homme tombé dans une disgrâce provisoire et dont on ne pouvait savoir si demain déjà il ne retrouverait pas la faveur perdue.

L'un d'eux, pourtant, gardait une expression mauvaise. On devinait qu'il avait une haine profonde pour les hommes, sans titre particulier, qui approchaient le pouvoir. Bridet en était un à ses yeux. C'étaient ces hommes qui avaient perdu la guerre, ces hommes qui en ce moment encore, au lieu d'être conduits directement au poteau d'exécution, continuaient à faire peur et étaient traités avec égards, car, au fond, ils étaient toujours puissants, même entre les mains de la police.

Les agents firent de la place aux nouveaux venus. Celui qui avait regardé méchamment Bridet se mit à parler à voix basse. Ses collègues eurent l'air embarrassé, puis, se faisant brusquement moins aimables, se réunirent dans un coin du poste.

Bourgoing leur demanda s'ils n'avaient pas un jeu de cartes. Ils répondirent avec mauvaise volonté. « Je vais tâcher d'en trouver un », dit l'autre inspecteur. Il revint peu après avec un jeu tout neuf qu'il avait dû acheter dans un bureau de tabac voisin. Cette liberté donnée à ses gardiens d'engager de petites dépenses pour son confort ou sa distraction parut à Bridet très inquiétante. Elle participait de ces attentions venant de haut qui donnent à l'inculpation quelque chose de plus grave encore. On eût dit qu'au degré où Bridet était placé, il importait peu qu'il mangeât du poulet ou non. On n'en voulait pas à sa personne physique. Le problème était beaucoup plus sérieux.

Bridet ne savait jouer à aucun jeu. Les policiers lui apprirent la belote. Ce fut pénible. Malgré toute sa bonne volonté, il ne parvint à retenir aucune règle, tant il était préoccupé. Et pendant plus d'une heure, il eut la sensation désagréable, devant son incapacité à apprendre, d'étaler aux yeux de tous le souci qui le rongeait intérieurement. A la fin, il dit en plaisantant : « Moi, je m'arrête. Jouez tous les deux. Je vais arbitrer. »

Le secrétaire du commissaire entra dans la salle à ce moment. Il s'approcha des trois hommes, mais ne regarda pas Bridet. « Qui est-ce qui gagne ? » demanda-t-il. Puis il se retira sans paraître s'être aperçu de la présence du prisonnier. Il semblait que celle-ci n'eût rien d'exceptionnel. On devait souvent amener ainsi un inconnu passer la nuit. Par son indifférence pour la personne surveillée, le secrétaire voulait visiblement montrer qu'il n'anticipait pas sur l'avenir et qu'il se tenait à distance de ces camaraderies accidentelles dont on ne pouvait prévoir les conséquences.

A dix heures, deux agents cyclistes qui revenaient d'une tournée rentrèrent dans le poste. Ils ne parlèrent pas aux inspecteurs. Bridet les surprit en train de demander lequel des trois était l'inculpé. On dut le leur expliquer, car il s'aperçut peu après que ces cyclistes l'examinaient avec curiosité.

Une demi-heure plus tard, les deux inspecteurs s'arrêtèrent de jouer.

— Et les couvertures? demanda l'un d'eux.

— C'est que nous n'en avons pas, dit un agent avec cette mauvaise humeur des employés pour qui le plus insignifiant travail qui n'entre pas dans ce qu'ils appellent « leurs attributions », apparaît un monde.

— Mais nous en avons besoin, dit l'inspecteur. Monsieur ne va pas passer la nuit, comme ça, dit Bourgoing.

Cette défense que prenaient de lui les inspecteurs fit encore très mauvais effet sur Bridet. Elle était tellement artificielle. Elle avait beau paraître sincère, quand on savait dans quelle situation Bridet se trouvait vis-à-vis de ses gardiens, il était difficile de la prendre au sérieux. Et il écouta avec la plus complète indifférence les propos aigres-doux qui s'élevèrent.

Soudain le secrétaire reparut.

— Venez un instant, dit-il à Bourgoing.

Bridet était de plus en plus nerveux. Il avait l'impression que tout cela était une comédie des inspecteurs pour arriver à se débarrasser de lui en l'enfermant dans une cellule afin de pouvoir rentrer chez eux tranquillement jusqu'au matin. Ils n'en avaient évidemment pas la consigne, mais ils allaient faire semblant d'y avoir été obligés.

Peu après, Bourgoing revint.

– Vous pouvez les garder... vos couvertures! dit-il aux agents.

Puis se tournant vers son collègue et Bridet il ajouta :

– Le patron nous demande.

– Maintenant! s'écria avec étonnement l'inspecteur.

– Oui, c'est comme ça.

Bridet regarda les deux hommes pour tâcher de comprendre à leur visage si c'était une bonne ou une mauvaise nouvelle.

– Comment ça... se fait-il? demanda-t-il en deux fois.

– Nous n'en savons rien.

– C'est curieux, constata Bridet.

Il sentit tout à coup que la prétendue amitié qui s'était établie entre les inspecteurs et lui venait de s'évanouir, que maintenant, contrairement à tout à l'heure, ses gardiens ne faisaient plus qu'exécuter des ordres, qu'ils étaient redevenus ce pour quoi ils étaient payés.

En sortant dans la nuit, il fut pris de peur. C'était déjà pénible en plein jour d'être conduit d'un bureau à un autre, d'attendre, de subir des interrogatoires, mais la nuit, alors que toute activité semblait devoir être suspendue, cela avait quelque chose d'infiniment plus menaçant. Le jour, tout le petit personnel, tous ces gens qui allaient et venaient au cœur même de la police, étaient une sorte de garantie. Mais à présent que les bureaux étaient déserts, que tout le monde était couché, il était comme livré à la discrétion de quelques personnes.

– Ça arrive souvent, demanda Bridet d'un air indifférent, que M. Saussier interroge les gens la nuit ?

– C'est la première fois, dit un inspecteur.

Bridet sentit une lourdeur dans les cuisses.

– Qu'est-ce qui s'est passé, croyez-vous ?

– Je n'en sais rien, dit l'inspecteur. Nous, nous ne faisons qu'obéir.

– Vous ne me quitterez pas...

Cette parole avait échappé à Bridet. Dans sa détresse, devant le mystère de ce qui l'attendait dans les locaux de la police déserts, il n'avait pu s'empêcher de s'accrocher à ces deux hommes qui, s'ils étaient des indifférents, avaient malgré tout une certaine conscience du bien et du mal.

Rue Lucas, les fenêtres étaient obscures.

– Il y a erreur, dit un inspecteur. C'est pas possible. Tout le monde est parti. Va voir...

L'autre inspecteur pénétra dans la maison. Il revint peu après.

– Si, si, on nous attend. Ils sont dans le bureau de Keruel.

Les deux policiers firent passer Bridet devant eux, puis refermèrent la porte. Il n'y avait pas de minuterie. A la lueur d'un briquet, ils s'engagèrent dans l'escalier. Bridet dut s'appuyer un instant à la rampe.

– Allez, allez, montez, faites ce que l'on vous dit, cria Bourgoing qui avait changé brusquement.

Ce dernier était resté en arrière. Bridet venait de l'entendre dire à son collègue que Saussier n'était pas content de ce que, lui, Bourgoing, fût venu demander si l'ordre d'amener le prisonnier avait été vraiment donné.

– Salaud, murmura Bridet.

– Qu'est-ce que vous dites? demanda Bourgoing.

– C'est haut, répondit Bridet.

– Faites attention. Je vous préviens que je ne vous manquerai pas, moi.

Au premier, Bridet s'arrêta.

– Encore un étage, dit Bourgoing, et ne faites pas le malin.

– Alors ils ont toute la maison, s'écria Bridet. L'entresol, le premier, le deuxième...

– Ne vous occupez pas de ça.

L'appartement était obscur. Au fond du couloir, on apercevait cependant un peu de lumière. Saussier et Keruel étaient assis dans une petite pièce d'aspect modeste que seule la lampe sur le bureau éclairait. Ils avaient l'air de paisibles directeurs d'une maison de commerce qui vérifient les comptes en l'absence des employés.

– Entrez monsieur Bridet, dit Saussier avec une amabilité inattendue.

On eût dit qu'un fait nouveau en faveur de Bridet s'était produit et que, n'en ayant jamais douté, il était heureux de lui parler comme il eût toujours voulu pouvoir le faire.

– Nous venons d'avoir, M. de Keruel, M. Outhenin et moi une longue conversation avec votre femme, continua Saussier.

– Avec ma femme! s'exclama Bridet.

– Oui, mais laissez-moi finir. Ce qu'elle nous a dit concorde parfaitement avec ce que vous nous avez dit vous-même. J'ai pensé que vous seriez heureux de la revoir dès ce soir, continua Saussier avec ce respect un peu condescendant qu'ont les officiers pour les devoirs conjugaux de leurs hommes. C'est pour cela que, malgré l'heure tardive, je vous ai fait venir, certain que pour un tel motif vous ne m'en voudriez pas. Votre femme est descendue à l'hôtel, attendez...

– L'hôtel des Étrangers, dit Keruel.

– Elle vous attend. La seule chose que je vous demanderai, monsieur Bridet, c'est de bien vouloir passer demain matin, pas ici, à l'étage au-dessous. M. Schlessinger, que je n'ai pu prévenir, a encore certaines petites questions à régler avec vous. D'ailleurs, je serai là.

– Mais comment se fait-il que ma femme soit à Vichy?

– Vous le lui demanderez vous-même tout à l'heure. Elle vous le dira mieux que moi, répondit Saussier avec un sourire plein de sous-entendus.

C'était tellement évident que Bridet n'insista pas.

– Alors à demain, monsieur Bridet. Rappelez à votre femme qu'elle nous a promis de venir également.

Bridet serra la main de tout le monde.

– Je suis heureux pour vous et pour moi, dit Bourgoing en le reconduisant jusqu'à la porte de l'appartement. Ce sont des corvées dont nous n'aimons pas beaucoup être chargés. Nous voulons bien défendre l'ordre, mais nous ne voulons pas être des instruments de vengeances politiques. Vous me comprenez, n'est-ce pas, monsieur Bridet? Chacun doit faire son travail.

CHAPITRE 11

Bridet demanda à un passant où se trouvait l'hôtel des Étrangers. Il n'y avait pas de lune. Les étoiles étaient si nombreuses que la première impression de Bridet fut que le ciel était caché par de la brume. Ce ne fut qu'après un instant qu'il se rendit compte qu'au contraire l'air était limpide et que cette brume était les étoiles elles-mêmes. De temps en temps il se retournait, ne pouvant croire qu'on ne le suivait pas. Des lampadaires brillaient dans les arbres. Sa joie d'être libre n'était pourtant pas complète. Il se demandait comment il se faisait que sa femme fût venue à Vichy et que ce simple fait eût suffi à le faire relâcher. C'était bizarre. Il pensait à Saussier. Ce dernier lui avait dit de revenir le lendemain. Les choses se passaient donc un peu comme si, ayant un répondant, il n'était plus nécessaire de s'assurer de sa personne, comme si Yolande avait donné toutes les garanties, qu'elle avait servi en quelque sorte de caution et également comme si, en desserrant l'étreinte, en lui permettant de regoûter à la douceur de la vie, la police comptait tirer de lui plus facilement ce qu'elle désirait. Car, tout de même, il était étrange

119

qu'à dix heures et demie du soir, alors qu'on avait décidé de le faire coucher au poste, on eût changé d'avis. Ce n'était certes pas un tardif remords ni l'apparition subite d'un fait prouvant son innocence qui expliquaient une pareille générosité. On ne se fût pas dérangé pour si peu. On eût certainement estimé pouvoir attendre jusqu'au lendemain. Tout cela était assez singulier. Yolande avait évidemment plaidé sa cause. Mais qu'avait-elle pu invoquer et d'où venait le pouvoir dont elle venait de faire preuve?

Tout en marchant, Bridet craignait de plus en plus que sa femme n'eût fait une nouvelle gaffe, qu'elle ne l'eût maladroitement défendu, qu'elle ne se fût portée garante de sa loyauté et qu'elle n'aggravât demain ses soucis en se faisant arrêter elle aussi comme sa complice. Elle avait été capable, avec sa légèreté, avec cette manie de croire qu'on ne vérifiait jamais ce qu'elle disait, de donner des preuves inexistantes de la fidélité de son mari au Maréchal. Et demain matin, tout s'effondrerait. Il aurait l'air d'avoir voulu tromper la police, d'avoir fait lui-même la leçon à sa femme.

Bridet réfléchissait ainsi quand il arriva à l'hôtel. Non, ce n'était pas possible. Il connaissait Yolande. Elle avait toujours été hitlérienne, c'était vrai. Elle avait souvent dit avant la guerre : « Ce qu'il faudrait chez nous, c'est un Hitler. » Mais elle n'était pas bête. Elle savait bien que Pétain, ce n'était pas Hitler. Il était surtout trop vieux.

Yolande était couchée. Elle avait rangé ses vêtements avec beaucoup de soin. Elle était adossée à l'oreiller. La lampe de chevet était allumée.

– Que je suis heureuse de te voir! s'écria-t-elle dès que Bridet eut pénétré dans la pièce.

Elle ne sortit pas du lit, mais elle se souleva pour embrasser son mari. Puis elle se laissa retomber en arrière, comme si, maintenant que Bridet était là, elle pouvait s'abandonner. Elle avait eu tellement peur... On lui avait promis de relâcher son mari le soir même, mais elle avait craint, en ne le voyant pas revenir, qu'on ne tînt pas parole. Elle venait de passer deux heures affreuses, mais il ne fallait plus y penser puisque c'était fini, puisqu'il était là... Ah, comme elle était heureuse!

— Je ne comprends rien à ce qui est arrivé, dit Bridet.

— Il n'y a rien à comprendre, dit Yolande.

— Comment es-tu venue? Qu'est-ce qui s'est passé? demanda Bridet.

— Je te l'ai déjà dit. Outhenin m'a téléphoné.

— Pourquoi?

— Je t'expliquerai cela, mon chéri. Laisse-moi, pour le moment, être heureuse. Mets-toi à ma place. Tu n'es pas content? Tout est arrangé, mon chéri.

Bridet s'assit dans le fauteuil. La joie de sa femme ne le rassurait pas du tout. Les contacts qu'il venait d'avoir avec la police étaient bien trop sérieux pour que sa méfiance se dissipât sur une simple affirmation de Yolande. Il avait besoin de savoir. Pour le moment, il estimait que rien n'était changé. La mansuétude de la police cachait quelque chose. On devait tromper Yolande. On se servait d'elle. Et cette brave fille ne voulait pas lui dire exactement ce qui s'était passé! Oui, sans aucun doute, il en avait à présent la certitude, on se servait d'elle. C'était bien dans les méthodes de ces messieurs. Quand on ne peut pas démasquer les gens, on les prend de biais, par les êtres qui leur sont chers. C'est le coup classique. On avait dû avoir beaucoup d'égards pour Yolande. Par ce moyen, on est toujours sûr de gagner une femme. Il y avait là-dessous un piège. On le jetait dans les bras de Yolande. Si ça ne donnait pas de résultat, eh bien, demain, au lever du jour, on les arrêterait tous les deux.

— Écoute-moi, Yolande, dit Bridet calmement. Tu vas me raconter exactement, dans tous les détails, ce qui s'est passé.

— Tout de suite? Déjà? Tu ne veux pas t'asseoir sur le lit à côté de moi?

— Oui, tout de suite.

— Je vais te le dire. Tu verras, c'est très simple.

— Non, non, ne me dis rien. Réponds à mes questions. Quand Outhenin t'a-t-il téléphoné?

— Aujourd'hui, dans la matinée, à onze heures. Je n'étais pas là. Il a retéléphoné à midi. La chance a voulu que cette fois je sois là.

— Qu'est-ce qu'il t'a dit exactement?

— Il m'a dit qu'il voulait absolument me voir à ton sujet, que je devais venir immédiatement. J'ai tout de suite pensé que tu avais fait une bêtise. J'ai pris le train.

— Et tu as vu Outhenin?

— Oui, il m'a reçue très gentiment. Un certain monsieur Saussier et un autre monsieur qu'on ne m'a pas présenté se trouvaient là également. J'étais émue. Il y avait de quoi. Ils s'en sont aperçus. Ils m'ont réconfortée. Ils m'ont expliqué que quant à eux, ils savaient que tu n'avais rien fait, mais que tu t'étais mis dans un mauvais cas. Ils m'ont demandé de leur dire franchement ce que je savais sur tes relations avec Basson. Je le leur ai dit.

— Qu'est-ce que tu leur as dit?

— La vérité...

– Quelle vérité ?

– Je leur ai dit que tu n'avais voulu qu'obtenir un sauf-conduit de Basson. Ils m'ont demandé si je savais ce que tu voulais faire en Afrique. Je leur ai dit que tu voulais servir le Maréchal. Ils se sont mis à rire si spontanément que j'ai compris qu'ils étaient plus malins que toi. Personne n'était dupe de ta comédie. Tout le monde avait deviné que tu cherchais à rejoindre de Gaulle. « Que votre mari soit communiste, m'a dit Outhenin, juif, gaulliste, franc-maçon ou tout à la fois, nous n'y pouvons rien. Mais dites-lui qu'il ne nous prenne pas pour des imbéciles... »

– Qu'est-ce que tu lui as répondu ?

– Que voulais-tu que je réponde ? Je ne pouvais rien répondre. J'ai simplement répété qu'en ce qui concerne Basson, tu ignorais qu'il fût en rapport avec de Gaulle. Ils m'ont demandé si tu me tenais au courant de ce que tu faisais. Je leur ai répondu : « Oui. » A ce moment j'ai ajouté : « Croyez-moi, Basson est trop intelligent pour s'ouvrir à un homme comme mon mari. Vous dites vous-même que tout le monde savait ce que mon mari était venu faire à Vichy. Et c'est d'un homme pareil que Basson aurait fait son complice ! » Ils ont voulu savoir si je n'avais rien remarqué de bizarre dans ta conduite. Je leur ai répondu : « Absolument rien. Mon mari ne désirait qu'une chose : son sauf-conduit. »

– En somme, tu leur as dit que je voulais rejoindre de Gaulle.

– Je ne leur ai pas dit ça. Ils le savaient d'ailleurs. Je n'y peux rien. C'est à toi qu'il faut t'en prendre. Ils le savent si bien qu'Outhenin m'a fait la remarque suivante : « Nous voulions faire expulser votre mari de Vichy, mais il était trop drôle... »

123

– Ils ne savaient rien du tout, cria Bridet, et maintenant à cause de toi, ils savent.

– Je ne leur ai rien dit.

– Tu n'as même pas paru étonnée.

– J'aurais eu l'air d'une folle.

– A présent, je suis dans de beaux draps, cria Bridet encore plus fort.

– Tout est arrangé au contraire. La preuve, c'est qu'on t'a relâché. Il n'y avait rien d'autre à faire que de leur parler franchement. Il ne fallait surtout pas essayer de les tromper. Si j'avais finassé, ils ne nous lâchaient plus ni l'un ni l'autre. Les hommes connaissent les hommes, mon chéri. Les paroles ne cachent rien. De même que toi, tu sais ce que pense Saussier, Saussier sait ce que tu penses. Ma façon de parler leur a plu. Ils ont compris qu'au fond tu n'étais pas dangereux.

Bridet se mit à marcher de long en large, très vite. Il était hors de lui.

– Alors, maintenant, officiellement, cria-t-il, je suis gaulliste. Maintenant, ça y est. Eh bien, ça ne va pas être long! Tu peux dire que tu as fait du joli travail. Mais il fallait t'indigner, Yolande...

– Tout le monde savait la vérité, je te répète.

– On ne savait rien... Tu peux être tranquille que si on avait su quelque chose, on n'aurait pas fait tant de chichis.

– Enfin, je n'ai pas été si maladroite que ça, puisque, grâce à moi, tu es ici.

– Jusqu'à demain matin. Ils vont venir demain matin, j'en suis sûr, ah! tu ne les connais pas.

– Tu te trompes, mon chéri. Tu as toujours pris les gens pour des idiots. Eh bien, ces gens-là ne sont pas plus bêtes que toi. Ils ont compris ce que tu étais et ils ne t'en veulent même pas. Ils seraient gaullistes que je serais moins tranquille pour toi.

Bridet faillit s'emporter. Mais brusquement, il lui apparut que toute discussion était inutile. Ce qui était fait était fait. Yolande crut qu'il revenait à de meilleurs sentiments.

– Demain, dit-elle, nous irons ensemble rendre visite à M. Saussier.

– Rendre visite... Ah... ah... tu appelles ça rendre visite. Nous n'aurons pas besoin de nous déranger. C'est plutôt lui qui va nous rendre visite.

– Ne dis pas de bêtises. Quand ta colère sera passée, tu comprendras. Ce M. Saussier est un homme très gentil, tu verras.

– Oh! je le connais.

Bridet se mit à rire. Un aspect inattendu de sa situation venait de lui apparaître. L'arrivée de sa femme lui donnait simplement l'air d'un imbécile. Tout se passait comme si les opinions qu'il pouvait manifester, quelque subversives qu'elles fussent, étaient inoffensives, comme s'il était un pauvre type, gaulliste en effet, mais gaulliste par bêtise. Il suffisait de le secouer un peu, de lui faire peur, pour le remettre dans le droit chemin.

– Au fond, tu me fais passer pour un crétin, dit-il en riant toujours.

Yolande se fâcha.

– Comment peux-tu me dire une chose pareille ?

– Oui, un pauvre d'esprit, un minus habens, qui s'est mis dans la tête qu'il était gaulliste parce qu'il a entendu « Sambre et Meuse » à la radio de Londres.

– Et même que cela serait, qu'est-ce que ça peut te faire ?

Bridet ne répondit pas. Il était clair que Yolande

ne comprenait pas qu'un homme pût avoir un idéal plus élevé que celui de son misérable entourage.

— Tu as bien cherché à passer pour un pétainiste. Qu'est-ce que ça peut te faire de passer pour un imbécile? La seule chose qui compte, c'est de te tirer du mauvais pas où tu t'es mis.

— Si ce n'était que ça, dit-il, ce ne serait rien.

— Qu'est-ce que tu veux dire?

— Je veux dire que nous pourrons nous estimer heureux, toi et moi, si demain matin on ne vient pas nous arrêter tous les deux. Crois-moi, ne te fie pas à ces types-là. Ce sont des Boches, tu m'entends. Ils sont plus Boches que les Boches.

— Ne dis pas ça, mon chéri. Tu ne sais pas ce qu'ils pensent.

— Je ne sais pas ce qu'ils pensent, mais je sais ce qu'ils font. Enfin, ne parlons plus de cela, c'est fait, c'est fait.

Bridet s'approcha du lit, prit les mains de sa femme. Il la regarda longuement dans les yeux. Elle n'aimait pas cela. Elle ne manquait pas de franchise, mais par une sorte de faiblesse physique, quand on la regardait ainsi, elle baissait les yeux à chaque instant et quand elle les rouvrait, on sentait qu'elle était honteuse de cette faiblesse.

— Écoute-moi, Yolande.

— Je t'écoute, mon chéri, dit-elle en profitant de ces quelques mots pour détourner encore les yeux.

— Saussier m'a demandé de revenir. Il te l'a demandé aussi. Eh bien, nous n'irons pas. Je suis certain que si je retourne le voir, il ne me laissera plus partir. Ils ont voulu être malins. Ils m'ont lâché. Je vais en profiter et je vais être plus malin qu'eux.

— Tu ne peux pas faire ça, dit Yolande.

Bridet continua sans paraître avoir entendu sa femme.

— Demain matin, nous prendrons le train. Nous irons à Lyon et de là, à Paris. Les gens sont quand même différents là-bas. Une fois arrivé, je me débrouillerai pour aller en Angleterre. J'ai été idiot, en effet, mais pas de la façon que tu penses. J'ai été idiot de m'imaginer que cette révolution nationale était de la frime.

— Ne t'énerve pas, mon chéri, dit Yolande qui n'aimait pas que son mari parlât de lui-même avec cette désinvolture.

— A Paris, je trouverai des Français, d'autres Français, des Français intelligents. Et les Boches sont là. Il y aura au moins de la solidarité entre les Français.

Bridet s'aperçut tout à coup qu'il avait parlé jusqu'à cet instant d'une voix forte. Il fut pris de crainte. On l'écoutait peut-être.

— Tu as raison, dit Yolande, nous partirons. Mais nous ne sommes pas à une journée près. Pour une fois, soyons habiles. Puisqu'ils sont bien disposés, profitons-en. Tu seras tout de même plus tranquille si tu fais ce qu'ils te demandent. Ils ne se méfieront plus de nous. Et par la suite, tu auras beaucoup plus de chance de réussir dans ce que tu entreprendras.

— Parle moins fort, dit Bridet.

Yolande regarda son mari avec étonnement.

— Tu es fou. Tu ne t'imagines tout de même pas qu'ils te surveillent jusqu'ici.

— Je te dis de parler moins fort.

Ils se turent un long moment, puis Yolande dit :

— Nous irons ensemble voir Saussier.

Bridet ne répondit pas. Il pensait à autre chose. Enfin il murmura :

Le piège

– Maintenant j'ai compris. Au fond, j'ai manqué de courage. Je n'ai pas voulu courir de risques. J'ai voulu être en règle, avoir des papiers, une mission officielle. C'est ça, mon erreur. Je le comprends à présent. Quand on veut vraiment faire quelque chose, il ne faut pas avoir peur de s'exposer. Il ne faut surtout rien demander à personne. Il ne faut compter que sur soi-même. J'ai compris. Vichy m'aura donné une leçon. Alors c'est entendu, Yolande, n'est-ce pas ? demain, nous rentrons à Lyon. De là, nous allons à Paris. Une fois à Paris, je trouverai bien le moyen d'aller sur la côte et de passer en Angleterre. Ce sera plus dangereux, mais ce sera plus propre.

Yolande sortit de son lit. Elle mit son manteau et ses souliers pour ne pas marcher pieds nus dans cette chambre étrangère.

– Je ne peux pas t'en empêcher, mon chéri. Mais je trouve déraisonnable de ta part de toujours manquer de patience. Tu attends trois semaines et le dernier jour, au moment où tout va être arrangé, tu agis sur un coup de tête ? A quoi cela va-t-il te servir ? Ils vont être furieux. Ils étaient décidés à te laisser tranquille. Ils vont croire que tu as peur. Ils se diront : s'il a peur, c'est qu'il est coupable. Ils vont te faire rechercher. Je te préviens ils vont te faire rechercher. Enfin, fais ce que tu veux, mon chéri.

Yolande eut une expression de lassitude. Décidément son mari était incorrigible. Il était buté. Il ne voyait pas les avantages qu'il pouvait tirer d'une soumission apparente. Comme toujours, il était entier et fier.

– Cela te jouera un mauvais tour, je t'avertis, dit-elle.

CHAPITRE 12

Bridet arriva à une heure vingt à Lyon. Le voyage lui avait paru interminable. A tous les arrêts, il avait craint que des policiers, prévenus par téléphone, ne montassent dans le train et chaque fois que celui-ci était reparti, il avait éprouvé un immense soulagement.

Le matin, le départ s'était effectué le plus normalement du monde. Malgré ses prédictions, personne n'était venu le chercher. Yolande n'avait pas tenté une dernière fois de le retenir. Elle lui avait même fait des recommandations. Enfin, comme il l'avait suppliée de l'accompagner, elle lui avait répondu qu'elle ne voulait pas se conduire de façon grossière avec des gens qui avaient été si gentils. « Ils te garderont pour m'obliger à revenir », avait observé Bridet. « Tu ne sais pas ce que tu dis », fut la réponse de Yolande. Et ils avaient décidé que « l'indispensable » visite rendue, elle prendrait le train de dix-sept heures et arriverait à son tour à Lyon dans la soirée. Son mari n'avait donc pas besoin de s'inquiéter puisqu'il la reverrait le jour même.

Bridet passa l'après-midi à faire des démarches

pour trouver un moyen de franchir la ligne de démarcation, sans cesser pour cela de penser à Yolande. « Qu'est-ce qu'il y a donc entre eux ? » se demandait-il à chaque instant. Parfois, il sentait la colère le gagner. Mais il finissait toujours par s'attendrir en songeant qu'au fond, si sa femme s'exposait ainsi, c'était par amour.

A mesure que les heures passaient, son anxiété grandissait. Que ferait-il si Yolande, malgré sa promesse, n'arrivait pas par le train du soir ? Il ne pourrait qu'en conclure qu'elle avait été arrêtée. Il se trouverait dans l'obligation de retourner à Vichy. Et de nouveau la colère le gagnait. Il l'avait prévu. Il avait averti Yolande. Pourquoi ne l'avait-elle pas écouté ?

Bridet savait depuis longtemps qu'un laitier, dont le magasin se trouvait dans une petite rue derrière le marché des Jacobins, se rendait tous les matins en camionnette à proximité de la ligne de démarcation, emmenant avec lui quatre, cinq ou six personnes désireuses de passer en fraude en zone occupée. C'était un patriote. Dans certains milieux, on le trouvait admirable. Sa conduite montrait qu'il existait toujours des Français qui ne manquaient pas de courage.

Bridet aurait préféré être présenté à ce laitier, mais il était si pressé de quitter Lyon qu'il renonça à chercher un intermédiaire. Vers cinq heures, il se décida à aller seul à la laiterie. Il saurait bien inspirer confiance, se rendre sympathique. S'il y avait quelqu'un qui n'avait pas l'air d'être de la police, c'était bien lui.

Le rideau de fer était à demi baissé. Bien que l'armistice ne datât que de quatre mois, le commerce de l'alimentation était soumis à tant de règlements qui faisaient si visiblement l'affaire des Allemands que les commerçants, par manière d'obstruction, fermaient leurs boutiques sous les prétextes les plus extravagants. Les autorités n'avaient pas encore exigé, que, même vides, les magasins restassent ouverts.

Bridet fut pris d'une hésitation. Comment allait-on l'accueillir? Quand il parlerait de la ligne de démarcation, le laitier ferait peut-être semblant de ne pas le comprendre. « Tant pis, essayons quand même », murmura Bridet. Il se courba pour passer sous le rideau de fer. Dans le magasin obscur, il n'y avait personne. Il appela. Une femme parut. Bridet s'apprêtait à entrer dans de longues explications pour lui laisser deviner ce qu'il désirait, lorsqu'elle dit : « Attendez un instant, mon mari descend. » En effet, peu après un gros homme arriva. « Vous voulez partir demain matin? » demanda-t-il immédiatement. « Oui », répondit Bridet étonné que son interlocuteur prît si peu de précautions. « C'est parfait. J'ai juste-ment encore une place. » « Mais c'est que nous sommes deux! » « Ah ça, c'est ennuyeux. » « Vous vous serrerez », dit la patronne. Le laitier hésitait, puis finalement il accepta. « Rendez-vous ici à sept heures. »

Les deux hommes se serrèrent la main. Bridet était joyeux. Tout était arrangé, il n'avait plus à s'occuper de rien. Il n'en était pas moins, au fond de lui-même, un peu déçu. Ce n'était pas d'avoir payé 800 francs pour Yolande et pour lui, ni d'avoir à donner une somme semblable le lendemain aux passeurs, qui était cause de cette déception, mais que cet accord clandestin eût plutôt eu l'air d'un marché commercial. Il eût été tellement plus réconfortant, tellement plus noble, que ce laitier eût été vraiment le patriote qu'on disait, qu'il n'eût accepté d'argent que dans la mesure où il en avait besoin, que son action eût été une manifestation spontanée et désintéressée de résistance et qu'on ne sentît pas qu'il tirait un profit personnel de la situation malheureuse de ses compatriotes.

A huit heures, Bridet s'achemina vers la gare de Perrache. Il craignait tellement que, le dernier voyageur sorti, il ne se retrouvât seul, que Yolande ne fût pas dans le train, qu'il s'en voulut de lui avoir donné un rendez-vous si précis. N'eût-il pas mieux valu qu'elle le rejoignît dès qu'elle arriverait à l'hôtel ? Il y avait déjà plusieurs centaines de personnes massées aux sorties sud et nord. Bridet craignait autre chose maintenant, que Yolande ne fût pas seule, que des inspecteurs ne l'eussent accompagnée de Vichy, sachant qu'elle allait retrouver son mari.

Bientôt les premiers voyageurs parurent. Soudain, il poussa un cri de joie. Yolande était parmi eux, souriante, seule. Il n'y avait pas de doute, elle était bien seule. Les voyageurs, derrière elle, s'étaient arrêtés, embrassaient des parents, partaient dans d'autres directions.

— Tu vois, dit-elle avec une expression triomphante, on ne m'a rien fait.

— Oui, oui, je vois, dit Bridet en lui prenant par tendresse le bras presque sous l'aisselle.

— Ils t'ont dit quelque chose ? demanda-t-il quelques minutes plus tard.

– Rien. Je le savais bien. Ils auraient été heureux de nous voir ensemble, c'est tout.

– Est-ce que Saussier a fait une remarque? Il n'a pas trouvé bizarre que je ne sois pas venu?

– Non. Il a simplement dit que c'était regrettable.

– Ah, il a dit que c'était regrettable, dit Bridet avec inquiétude.

– Nous avons tout de suite parlé d'autre chose.

– Mais qu'est-ce qu'ils me voulaient? De quoi avez-vous parlé?

– Il m'a demandé où tu étais, quand je te reverrais. Je lui ai dit que nous avions rendez-vous ce soir.

– Tu le lui as dit?

– Naturellement. Il n'y a rien de plus maladroit que de ne dire la vérité qu'à moitié. Ou on ment, ou on dit la vérité. Ils ne nous laisseront tranquilles que si nous agissons franchement avec eux. Je n'avais donc aucune raison de leur cacher que nous étions décidés à rentrer à Paris et à reprendre une vie normale.

– Tu leur as dit que nous allions à Paris?

– Oui, parfaitement, dans ton intérêt. Outhenin m'a approuvée. Il a trouvé que c'était ce qu'il y avait de mieux à faire. Cependant, il aurait été préférable que tu viennes avec moi.

– Pourquoi?

– Pour dire toi-même toutes ces choses. C'eût été plus sérieux. Ils ont eu beau être très gentils, j'ai bien senti qu'au fond ils étaient un peu froissés.

– A quoi?

– A rien. Je l'ai senti. Qu'est-ce que tu veux, ça fait toujours mauvais effet qu'un homme envoie sa femme à sa place.

133

– Je ne t'ai pas envoyée. Au contraire, je ne voulais pas que tu y ailles.

– Tu sais bien que ce n'était pas possible. Ce sont eux qui sont les maîtres, qui ont le pouvoir. On ne sait pas combien de temps va durer cette histoire. Elle peut durer dix ans.

– Tu n'as pas parlé de l'Angleterre, au moins ?

– Il n'y avait pas de raison.

– Tu en as parlé, je parie ?

– Tu es fou.

Bridet réfléchit un instant. Certainement Yolande n'avait pas parlé de l'Angleterre. Il avait cependant l'impression qu'elle était beaucoup plus sous la coupe de ces gens qu'elle ne le disait, qu'entre elle et eux circulait une image de lui assez bizarre. Il était un « faible ». On ne lui ferait aucun mal. Mieux même, on l'empêcherait de s'en faire à lui-même en rejoignant, par exemple, le général de Gaulle.

Changeant brusquement de ton, Bridet dit :

– Enfin, tout cela est fini, n'en parlons plus. J'ai fait du bon travail cet après-midi. Demain matin, à sept heures, nous prenons la camionnette du laitier jusqu'à la ligne de démarcation. Quand on l'aura passée et qu'on se trouvera avec les Boches, eh bien, c'est triste à dire, on respirera.

Yolande parut étonnée.

– Qu'est-ce que tu veux dire ?

– Nous allons passer la ligne de démarcation à Verdun-sur-le-Doubs.

– Il faut d'abord demander ton ausweiss.

Bridet se mit à crier :

– Ein Ausweiss ! Tu ne m'as pas regardé. Tu ne m'as pas regardé. Tu crois que je vais aller demander

134

un ausweiss? Ah! ça non, alors. J'aime mieux rester ici.

– Mais mon chéri, la Kommandantur te le donnera tout de suite.

– Je m'en f... de la Kommandantur. Nous n'avons ̣u'à passer comme cela. Ni vu ni connu. Moi, tu comprends, je ne veux plus avoir affaire ni aux Boches ni à Vichy. J'en ai assez.

– Bien, dit Yolande en se résignant par diplomatie.

Mais peu après, elle ajouta qu'elle ne voulait pas courir le risque de trois semaines de prison, d'être refoulée, mal notée.

– Tu veux donc aller voir les Boches, aller pleurer pour un ausweiss? demanda Bridet.

Elle répondit qu'il exagérait toujours, qu'il allait finir, avec cet esprit, par avoir des ennuis. Elle l'avait déjà, elle, son ausweiss. La Kommandantur n'avait fait aucune difficulté. Il n'avait qu'à faire comme elle. Elle raconta même une histoire d'ascenseur du Carlton. Elle s'y était trouvée avec un haut-gradé boche qui, immédiatement, s'était découvert et qui, bien qu'allant au deuxième et elle au troisième, était monté avec elle jusqu'au troisième. Il lui avait ouvert les deux portes de l'ascenseur, il l'avait saluée, puis il était descendu à pied du troisième au deuxième. « Tu me diras ce que tu voudras, ce n'est pas un officier français qui agirait ainsi avec une femme qu'il ne connaît pas. »

– Heureusement! Les Français ne sont ni ridicules ni obséquieux. Quant à moi, ma chère Yolande, j'aime mieux risquer de me faire arrêter à la ligne de démarcation que de prendre l'ascenseur du Carlton. C'est une question de caractère.

Le soir, dans leur chambre, ils cessèrent de parler

de leurs divergences. Ils allaient agir chacun comme ils l'entendaient. Après sept ans de mariage, des époux intelligents finissent par respecter réciproquement leur volonté, sans cesser pour cela de s'aimer. Bridet partirait dans la camionnette, puisqu'il y tenait et Yolande, elle, prendrait, dans quelques jours, le train du soir, l'express de Paris comme on l'appelait, quoiqu'il demeurât immobilisé plusieurs heures à Moulins pour les formalités. Elle dit à son mari de s'occuper de l'appartement, d'aller chercher les objets de valeur qu'elle avait mis en dépôt chez des amis. Il y avait la question de la malle qui se trouvait chez une tante. Il y avait aussi un effet de neige qu'un peintre franc-comtois leur avait donné : Zing, qui, à l'heure actuelle, devait avoir pris une valeur formidable. Elle lui demanda aussi de passer le jour même de son arrivée rue Saint-Florentin. « C'est ce que nous faisons de mieux de rentrer, parce que, tu sais, mon chéri, les Boches repèrent les appartements de ceux qui ne rentrent pas. »

Yolande lui avait si souvent parlé de ses malles, de ses objets de valeur, de son linge, que Bridet n'avait fait aucune attention à ses recommandations. Mais quand elle tira de son sac le trousseau de 18 clés qu'elle traînait, malgré le poids, depuis son départ de Paris, il s'emporta soudain.

— Ah! ça non, cria-t-il.

— Qu'est-ce que tu as?

— Si tu crois que je vais aller habiter l'appartement, tu te trompes. Ce serait d'ailleurs de la folie de ma part.

Yolande eut l'air profondément surprise.

— Je ne comprends pas, dit-elle.

— Je ne tiens pas à ce qu'on puisse me retrouver.

– Mais tu n'as absolument rien à craindre, mon chéri. Personne ne te veut de mal.

– Ils disent ça, je sais. J'aime mieux prendre mes précautions. Je ne rentre pas à la maison. Il n'y a rien à faire.

– Et où veux-tu aller?

– Je vais aller chez ton frère.

– Ah! tu choisis bien. On dirait que tu cherches à aggraver ton cas. C'est une manie chez toi. Enfin, tu sais qui est Robert, je me demande même s'il n'est pas déjà en prison. Il est capable d'avoir déposé une bombe...

– Que veux-tu, je vais là où j'ai des sympathies, où on pense comme moi.

Yolande alluma une cigarette. Tout à coup, elle reprit :

– Je vais te dire une chose, tu ne te froisseras pas. Tu es grotesque, absolument grotesque. Tu es comme tous ces gens qui s'imaginent que parce que les Boches sont là, on va les arrêter. Ils n'ont rien fait et ils longent les murs. Ils veulent se rendre intéressants. Personne ne les connaît, personne ne s'occupe d'eux et ils se cachent, et ils font toutes sortes de simagrées. Un homme intelligent comme toi, tomber dans ce travers, c'est quand même malheureux. Et le plus drôle est qu'on finit par les arrêter vraiment.

CHAPITRE 13

Le lendemain, Bridet arriva à dix heures à la ligne de démarcation. Il constata que c'était plus le passeur que lui qui appartenait à cette catégorie de gens à laquelle Yolande avait fait allusion la veille. Ce passeur s'entourait de tant de mystère qu'on eût dit qu'il allait affronter les plus grands dangers qui soient. On attendit la nuit. Il rassembla tout le monde dans l'arrière-salle du café. Toute la journée, Bridet avait entendu dire que les Boches étaient beaucoup plus durs avec ceux qui passaient de zone non occupée en zone occupée que pour les autres. La zone non occupée était un dépotoir. Tout le monde le savait. Il était naturel qu'ils n'en laissassent sortir personne. C'était donc toujours à cause de ces juifs et de ces communistes que les honnêtes gens pâtissaient.

Des femmes, des enfants, des vieillards, étaient assis autour des tables vides de toute consommation. Une seule lampe était allumée. Bridet en voulait au laitier de l'avoir conduit là. Il commençait à être inquiet, non pas à cause du danger éventuel, mais à cause de la tournure familiale de l'expédition. Il prit le passeur à part. Il lui demanda s'il n'y avait pas moyen de franchir seul la ligne de démarcation. Le passeur lui répondit à haute voix, de manière à être entendu de tout le monde, que s'il n'avait pas plus de courage, il valait mieux qu'il s'en retournât à Lyon. Des groupes familiaux, dans des poses d'aristocrates à la Conciergerie, jetèrent à Bridet ce regard des gens qui voient surgir des complications nouvelles dans des moments périlleux.

Un vieillard s'approcha de lui : « Monsieur, nous sommes tous ici dans le même cas. Vous n'allez pas, j'espère, rendre la tâche de ce brave homme plus difficile. » Un enfant, sentant que cela n'allait pas, se mit à pleurer. Bridet se rassit. Il fut pris de peur. Tous ces braves gens allaient se faire ramasser sans avoir même tenté de fuir. Ils seraient d'ailleurs relâchés très vite. Les Allemands voyaient bien à qui ils avaient affaire. Mais lui, il serait bel et bien pris. Où aller ? Que faire ? Il ne connaissait pas le pays et il n'y avait même pas de lune. Maintenant qu'il s'était mis dans ce guêpier, il fallait y rester.

On attendait toutes sortes de conditions favorables, que la tournée des sentinelles fût achevée, qu'un autre passeur arrivât au rendez-vous. A la fin, n'y tenant plus, Bridet voulut sortir, être seul. Il se dirigea vers la porte. Il y eut un grand branle-bas parmi les personnes présentes. Bridet allait faire tout rater. C'était honteux. Le passeur le prit par le bras et lui ordonna de ne pas sortir. Il cria que c'était lui qui commandait. Bridet retourna à sa place. Il entendit alors des femmes dire que c'était tout de même malheureux qu'un homme jeune pût avoir peur à ce point, que cela ne les étonnait plus que cette pauvre France en fût là.

★
★ ★

Quand Bridet se trouva en zone occupée, aussi
extraordinaire que cela paraisse, il éprouva un immense
soulagement. Au buffet de la petite gare où il attendait
le train de Paris, si semblable pourtant au café où il
avait passé plusieurs heures de l'autre côté de la ligne
de démarcation, il sentit monter en lui l'attendrisse-
ment de l'exilé retrouvant enfin ses compatriotes. Il
était fier d'échanger des propos insignifiants avec la
caissière, les employés de la gare, les voyageurs. Il
parlait à des Français dont il partageait le sort. Il
leur cachait même d'une façon puérile qu'il venait
de la zone libre, tant il lui semblait honteux d'avoir
été dispensé des souffrances communes

Le lendemain matin, il arriva à Paris. Les rues
étaient vides. Il décida de se rendre à pied chez
Robert. Par suite de l'absence de moyens de loco-
motion, une foule énorme se pressait à certaines
bouches de métro. Des rues étaient encombrées de
piétons alors que d'autres, toutes proches pourtant,
étaient désertes. Cette obligation où tous se trouvaient
de faire la même chose donnait déjà une première
idée de ce qu'était l'occupation. Mais ce qui frappa
plus encore Bridet ce fut la vue, sur presque tous les
murs, d'innombrables inscriptions, dessins, graffitis
de toutes sortes par lesquels se révélait le caractère
frondeur des Parisiens. Une grande tristesse se dégageait de ces inoffensifs « Mort aux Boches ». On
sentait que c'était la seule liberté qui n'avait pu être
ôtée aux Parisiens et qu'ils en usaient pour faire
quelque chose au moins.

Bridet avait dit à sa femme qu'il n'irait pas au

magasin. Il fit cependant un détour pour passer rue Saint-Florentin. Il vit la petite boutique au rideau de fer baissé sur lequel, en si peu de temps, comme sur tant d'autres, une épaisse couche de poussière teintée de rouille s'était posée. Il s'arrêta quelques instants. Les autres magasins étaient fermés également. Allaient-ils ouvrir bientôt, eux aussi, comme celui de Yolande?

Bridet arriva enfin chez Robert. Il lui demanda tout de suite s'il ne connaissait personne dans son entourage qui possédât une propriété sur les côtes de la Manche. Il lui fit part de son projet. Il voulait passer le plus vite possible en Angleterre. Il lui parla ensuite de Vichy, des ennuis qu'on lui avait faits. « Cela ne m'étonne pas », observa Robert. Comme il ne répondait pas à sa première question, Bridet revint à la charge. Robert eut un air gêné. Il dit enfin qu'il ne se souvenait pas d'avoir des amis qui habitassent au bord de la mer.

Bridet fut profondément étonné de l'attitude de son beau-frère. Il avait gardé de celui-ci le souvenir d'un de ces hommes droits, indépendants, un peu envieux, dont on dit qu'ils sont trop honnêtes pour réussir. Il lui avait semblé qu'un homme qui, avant la guerre, découvrait derrière tous les actes de la plupart de ses semblables un besoin intolérable d'autorité, qui avait eu pour Hitler une sorte de haine personnelle, se fût condamné à une claustration complète plutôt que de coudoyer un Allemand. Il n'en était rien. Une heure à peine après son arrivée, Bridet comprit que son beau-frère, bien loin de se dresser de toutes ses forces contre l'occupant, avait vu au contraire dans cette présence un moyen de se venger de ses compatriotes et de prendre la place qui lui revenait, croyait-il, depuis longtemps.

Bridet passa la journée du lendemain à revoir ses amis. L'accueil qu'il reçut le déçut. Il constata que les liens de l'amitié doivent être bien forts pour résister à un malheur national. Il avait cru qu'un tel malheur eût donné à tous une façon de sentir et de penser semblable. Or, à chaque visite qu'il avait rendue, il avait eu la surprise de se trouver en présence d'un homme qui semblait la victime d'un malheur personnel et quand il avait essayé d'atténuer la peine de son interlocuteur en disant qu'il souffrait autant que lui, cet homme l'avait écouté distraitement sans tirer de cette communauté de souffrance le plus petit soulagement.

Cependant, dans l'après-midi, il revit un de ses anciens collègues du *Journal* qui, à l'idée de tenter l'aventure, parut se réjouir et s'offrit même de partir avec lui. Il allait s'occuper sérieusement de cette affaire, mettre tous les atouts dans leur jeu, etc... Ah! comme il serait heureux quand il ne verrait plus de Boches.

Malgré les déceptions qu'il avait éprouvées au cours de la journée, Bridet se coucha plein d'espoir. Mais le lendemain, quand il revit son camarade, il le trouva bien refroidi. Leur projet était irréalisable. Les côtes étaient gardées par des vedettes boches. Ils étaient sûrs de se faire prendre. Ce renoncement si rapide frappa beaucoup Bridet. Personne ne désirait donc vraiment faire quelque chose! Il rentra avec une violente migraine. Décidément, si on regardait au fond des choses, la zone occupée n'était guère différente de l'autre. Des deux côtés, on avait peur et on ne songeait qu'à soi. C'était en définitive Yolande qui avait raison. Les gens étaient comme anesthésiés. La défaite avait été si brutale qu'ils n'avaient pas encore repris leurs sens. On eût dit qu'ils étaient reconnaissants, on ne sait à qui, d'être toujours en vie. Le seul avantage, il fallait le dire, était qu'il se sentait plus en sécurité qu'à Vichy. On ne le surveillait pas. Il était visible que la police française n'avait aucun pouvoir réel, qu'elle n'obéissait qu'aux Allemands et comme la principale préoccupation de ces derniers était de maintenir l'ordre dans ses grandes lignes, un Français qui n'était pas juif ou communiste, qui ne se faisait pas remarquer, pouvait se croire en sécurité.

Le quatrième jour, Bridet commença à s'inquiéter de ne pas voir arriver Yolande. Qu'était-il arrivé? Elle lui avait dit qu'elle serait à Paris avant lui. Il pensa aller rue Demours à l'appartement. Elle était peut-être rentrée. Elle lui battait froid parce qu'il avait préféré habiter chez Robert. Mais cela lui faisait tellement de peine de retourner dans ce quartier si familier des Ternes qu'il préféra attendre encore un peu. Évidemment, il s'en rendait bien compte à présent, sa sensibilité prêtait à rire. Il n'avait pas l'air de comprendre que les Allemands, comme disait Yolande, étaient là pour dix ans et que devant un pareil état de choses son attitude était aussi ridicule que l'est pour une cuisinière celle d'une patronne qui ne veut pas voir égorger un poulet.

Le lendemain, il trouva enfin un mot de sa femme.

Elle était venue chez Robert mais elle l'avait manqué. Elle lui annonçait qu'elle allait repasser vers cinq heures. Quand il la revit, affairée, heureuse d'avoir retrouvé ses principales habitudes d'avant-guerre, malgré la colère qu'il éprouvait qu'elle fût si peu consciente du malheur de la France, il n'en fut pas moins profondément heureux. Elle était très agitée. Elle n'était pas venue plus tôt parce qu'elle avait voulu d'abord régler ses affaires. Elle avait fait nettoyer son appartement, ouvrir son magasin. Rien n'avait été pris. Elle s'était rendue trois fois à la banque. Dans l'après-midi, elle avait été chercher l'« effet de neige » de Zing. Elle parlait de tout cela avec une volubilité extraordinaire, comme si rien d'autre n'existait et que, en ce qui la concernait, la guerre était terminée. « Nous l'avons échappé belle, mon chéri. » Il n'y avait plus que la malle. Celle-ci était en sûreté, mais Yolande hésitait à la faire transporter. Elle avait peur qu'on n'interrogeât les camionneurs dans la rue. Elle croyait qu'il valait mieux transporter le contenu en plusieurs fois.

Puis, quand elle eut épuisé ce sujet et qu'elle fut plus calme, elle demanda à son mari s'il avait fait bon voyage. Brusquement, elle lui fit observer que rien ne s'opposait plus à ce qu'il rentrât chez lui. Elle parla ensuite de son départ de Lyon. Tout le monde avait été parfait. Des amis l'avaient accompagnée à la gare. Elle avait eu même une couchette. A la ligne de démarcation, on avait à peine regardé son ausweiss. Et le train n'avait été immobilisé que trois heures.

Comme Bridet n'avait pas répondu à l'invitation de rentrer, elle la lui refit. Bridet observa que ce serait peut-être dangereux. « Tu es un enfant », s'exclama-t-elle. Il n'avait rien à craindre dans une grande ville comme Paris. La police avait autre chose à faire que de s'occuper de lui. On le lui avait encore redit.

– Qui? demanda Bridet.

– Des amis.

– Des amis en qui j'ai confiance?

– Après ton départ, j'ai rencontré, absolument par hasard, Outhenin. Il m'a affirmé que ton affaire était définitivement classée. Ah! à propos, j'ai oublié de t'annoncer une nouvelle sensationnelle. Basson s'est sauvé. Comment? Je n'en sais rien, mais il s'est sauvé. C'est Outhenin qui me l'a dit. Il faisait une drôle de tête.

– Oh! ça c'est merveilleux! s'exclama Bridet. Basson est quand même un type formidable. Si tu l'avais vu quand on l'interrogeait, cette froideur, ce mépris... Ils étaient empoisonnés, tous ces Vichyssois. Ils essayaient de le prendre de haut mais il les remettait chaque fois à leur place. C'est vraiment un type, tu sais...

Yolande eut un sourire sceptique.

– N'exagère pas, mon chéri. S'il a pu se sauver, c'est parce qu'on l'a bien voulu.

– Tu es folle!

– S'ils avaient tenu à le garder, ton cher ami Basson n'aurait pas fait mieux que les autres. On l'a laissé partir.

Bridet malgré toute son affection pour sa femme, ne put s'empêcher de la regarder avec une sorte de pitié méprisante. Il le regretta aussitôt. Profitant, pour changer de conversation, de la demande que Yolande lui avait faite de rentrer, il dit:

– Tu sais bien, ma chérie, que ce serait imprudent.

D'autant plus que Basson s'est évadé. On va croire que je sais où il est.

– Comme tu es fatigant! Je te répète encore une fois que tu es complètement en dehors de tout, que ton affaire est réglée, classée, enterrée. Je trouve absolument ridicule de vivre séparés à cause d'un danger inexistant. Mais après tout, tu as peut-être une raison que tu ne me dis pas, conclut-elle avec un sourire fin.

– Oh! pas du tout, ma chérie. Ça non, tu fais fausse route...

Cette discussion dura encore une dizaine de minutes. Finalement, Bridet se rendit aux arguments de sa femme. Puisqu'il allait partir, car il était sûr qu'il trouverait tôt ou tard un moyen de passer en Angleterre, il ne fallait pas lui faire de peine. Elle l'aimait. Une fois en Angleterre, quand la reverrait-il? Mais il la prévenait qu'il pouvait être amené à la quitter subitement, sans avoir même le temps de lui faire des adieux. « Ici, à Paris, ce n'est pas comme à Lyon », ajouta-t-il sans grande conviction. Il ne rencontrait que des gens intelligents et courageux. Il se sentait soutenu. Certainement, ce ne serait pas long. D'ailleurs, elle avait raison. Il n'aurait jamais dû aller à Vichy. Il aurait dû venir directement à Paris, comme elle le désirait. Il serait déjà en Angleterre.

Elle l'embrassa.

– Tu peux avoir confiance en moi, lui dit-elle. Tu sais que je t'ai toujours donné de bons conseils.

Ils rentrèrent rue Demours. Bridet était tellement ému par ce quartier où il avait passé tant d'années, qu'il avait connu si vivant, que pour ne pas le voir tel qu'il était maintenant, il donna le bras à Yolande en sortant du métro et il ferma les yeux. Elle lui dit : « Tu es une poule mouillée ! Il faut regarder la vie en face. » « J'aime mieux pas », dit-il. « Tu es toujours le même, mon chéri. »

Une fois dans l'immeuble, Bridet crut qu'il éprouverait un soulagement, que ce serait fini, qu'avec un effort d'imagination il pourrait croire que rien ne s'était passé, qu'il n'y avait pas d'Allemands à Paris. Mais quand il aperçut la concierge, il comprit qu'il se faisait de nouvelles illusions. Elle lui dit bonjour sans que la moindre joie de le revoir se montrât sur son visage, comme dispensée de toute amabilité elle aussi par un malheur qui n'était arrivé qu'à elle.

Yolande passa la soirée à déplier et replier des draps. Bridet la regarda faire sans réussir à trouver le moindre intérêt à cette occupation. Puisqu'il lui était aussi indifférent d'être chez lui, pourquoi était-il rentré ? Il le demanda à Yolande. « Ne recommence pas », lui répondit-elle. « Tu ne crois pas qu'il aurait mieux valu qu'on ne sache pas où je suis ? » « Écoute-moi, mon chéri. Si tu avais couru le moindre danger, est-ce que tu t'imagines que j'aurais été assez bête pour te chercher ? »

CHAPITRE 14

Le lendemain matin, vers sept heures, la sonnette de la porte d'entrée retentit. Bridet crut que c'était celle de l'appartement contigu. Il arrivait en effet souvent, quand on parlait, quand une auto passait au même moment dans la rue, qu'on confondît les deux sonnettes.

— Tu crois que c'est ici qu'on a sonné ? demanda Bridet qui venait de commencer sa toilette.

Yolande, encore couchée, répondit :

— Je n'ai rien entendu.

Au même moment, la sonnette retentit de nouveau, mais beaucoup plus longuement.

— Va ouvrir, dit Bridet pris de crainte.

Yolande se leva.

— C'est Robert qui vient déjà pour la malle, dit-elle en mettant son peignoir. Il est un peu matinal.

Bridet entrouvrit peu après la porte de la salle de bains. Il aperçut deux hommes qui parlaient à Yolande dans l'antichambre. Ils lui montraient un papier.

— Il n'est pas là, dit Yolande.

— La concierge vient de nous dire qu'il est rentré hier soir, dit l'un des deux hommes.

Le piège

Un instant, Bridet songea à fuir, mais il n'avait pour tout vêtement que son pyjama et ses pantoufles. Plus tard, il se demanda pourquoi il n'était pas parti quand même. Mais il est extraordinaire comme il faut peu de chose pour nous immobiliser quand nous sommes pris à l'improviste. Pour comprendre que notre vie est en danger, il faut beaucoup de temps et plus tard, quand nous sommes perdus, nous nous rappelons avec un regret amer l'opportunité que nous avons manquée. C'était si facile de fuir et nous ne l'avons pas fait. Parce que nous n'avions que des pantoufles, nous nous sommes laissé prendre. Et aujourd'hui que nous traverserions la France pieds nus, il est trop tard.

La voix de Yolande était si ferme qu'il eut encore l'espoir que les inconnus allaient se retirer. Il repoussa tout doucement la porte et attendit. Des paroles indistinctes venaient jusqu'à lui. Un instant, il pensa s'habiller à la hâte, puis il lui apparut que s'il avait encore affaire à des policiers, cela ne lui servirait à rien. Tout à coup, il entendit Yolande l'appeler. Elle avait donc dit qu'il était là. Elle n'avait donc pu faire autrement. Il prit une serviette de toilette pour se donner une contenance et ouvrit la porte.

– Voilà ce qu'on apporte pour toi, dit Yolande en lui tendant un papier.

Il lut sur une grande feuille, imprimée en anglaises, ce qui donnait à l'en-tête l'apparence d'avoir été écrite par une main qui ne tremblait pas :

Ministère de l'Intérieur

———

Cabinet du Ministre

———

Plus bas, tapé à la machine avec la netteté d'un exemplaire unique : « Nous, Ministre de l'Intérieur, décidons que M. Joseph Bridet, journaliste, domicilié rue Demours, sera conduit à la maison d'arrêt de la Santé, boulevard Arago et y sera détenu. »

La signature se trouvait au-dessous, sans cachet pour l'authentifier, car c'était la signature du ministre lui-même.

– Quoi! s'écria Bridet, en essayant de simuler instantanément de l'indignation.

Ce qui venait de se passer était tellement inconcevable, Yolande s'était trompée de façon si éclatante, il était tellement évident qu'elle avait eu tort, que Bridet, malgré sa colère, ne lui fit aucun reproche. Il se contenta de la regarder longuement et fixement. Elle avait envie de pleurer, mais son amour-propre féminin la retenait. Ses nerfs cependant étaient ébranlés car, à fleur de peau, on apercevait parfois durant quelques secondes un plissement semblable à des rides de vieillesse.

Tout à coup elle s'emporta. Elle ne reconnaissait pas ses torts. Elle ne se lamentait pas d'avoir en quelque sorte livré son mari. Elle n'était pas écrasée sous le remords. L'évidence de sa maladresse ne la dressait pas contre elle-même mais contre les deux policiers. Elle se mit à les injurier. Ils n'avaient pas honte de faire un pareil métier, eux, des Français! Mais ils n'en avaient pas fini avec elle. Elle avait des relations. Elle saurait dans un instant, avant midi, s'ils n'outrepassaient pas leurs droits. Elle irait voir leur chef. Des sanctions seraient prises. Ils avaient beau lui exhiber un papier signé du ministre, elle n'en était pas moins persuadée que ce papier était un faux. Nous n'étions pas encore retombés à l'époque des lettres de cachet. Il y avait là-dessous une manœuvre tendant à discréditer le gouvernement. Mais elle aurait le fin mot de l'histoire. Elle irait le voir, ce ministre. Si cela ne suffisait pas encore, elle s'adresserait aux Allemands. Oui, elle s'adresserait au général Stulpnagel. Elle lui raconterait ce qui s'était passé. Et elle ne doutait pas de la conscience avec laquelle cette affaire serait examinée.

Au début, les inspecteurs n'avaient pas bronché. Ils avaient essayé, sur un ton bonhomme, de calmer Yolande. Elle avait tort de se fâcher. Il ne s'agissait que d'une simple formalité. Chaque fois qu'ils avaient été chargés d'une mission semblable, les choses s'étaient très bien arrangées par la suite. Le plus sage était de faciliter leur tâche.

Mais quand Yolande menaça de faire intervenir le général allemand, un incident incroyable se produisit. Brusquement, comme s'ils venaient d'entendre une parole que de vrais Français comme eux ne pouvaient tolérer chez une compatriote, les deux inspecteurs se fâchèrent tout rouge. Mme Bridet devait faire attention à ce qu'elle disait. Elle devait « mesurer » ses paroles sans quoi ils allaient être obligés de faire un rapport. Il y avait des paroles qu'une Française n'avait pas le droit de prononcer. C'était une injure à tous ceux qui, dans le malheur, s'efforçaient de sauver ce qui pouvait encore être sauvé.

Bridet s'était habillé. Il n'avait qu'une pensée : fuir, et pour la cacher, il avait pris un air docile et résigné. Au point le plus élevé de la discussion, il fit semblant de chercher quelque chose. Il ouvrit une porte. Mais au moment où il passait dans la pièce voisine, un inspecteur – celui qui avait des traits assez fins mais l'air mauvais – oubliant instantanément qu'il était en train de donner une leçon de patriotisme à la maîtresse de maison, lui demanda : « Où allez-vous ? » Bridet répondit qu'il cherchait son argent. « Vous n'avez pas besoin d'argent. » Bridet s'inclina comme si, en effet, il n'en avait pas besoin. « Allons, venez », dit l'autre inspecteur, le sanguin, le moins méchant des deux.

En quittant l'appartement, Bridet regarda de nouveau sa femme comme il l'avait fait tout à l'heure. Voilà où son admiration des élégants Vichyssois l'avait conduite. Ils n'auraient peut-être jamais pensé à lui. C'était Yolande, avec tous ses bavardages, qui les avait peu à peu mis en mouvement. Mais elle ne parut pas comprendre le sens de ce regard. Elle se jeta à son cou en criant d'une voix perçante : « Ne dis rien, mon chéri, laisse-les faire. Ce soir, tu seras libre et ils te feront des excuses. »

A mesure qu'on descendait, l'escalier devenait plus obscur. Bridet était en tête. La pensée de s'élancer en avant, de sauter les marches par quatre, lui traversa l'esprit. En jaugeant les policiers, il avait deviné qu'il courait plus vite qu'eux. Mais ils devaient être armés. Ils tireraient. Et n'y en avait-il pas un troisième en bas ?

Ces réflexions empêchèrent Bridet d'agir et quand, au rez-de-chaussée, il s'aperçut qu'il n'y avait personne, il fut pris de colère contre lui-même. Le concierge, se doutant de quelque chose, faisait semblant de balayer devant la porte. Bridet, qui ne lui avait jamais parlé, lui serra la main.

– Vous vous en allez ? demanda le concierge d'une voix triste où perçait un intérêt venant du cœur.

Bridet ne répondit pas. Il venait d'apercevoir une voiture arrêtée un peu plus loin. C'était une vieille petite voiture à deux places dont le pare-brise était

cassé. Les administrations n'avaient plus à leur disposition le beau matériel d'avant-guerre. Il était
réservé aux Allemands. Et le modeste travail quotidien
se faisait avec des moyens de fortune.

Au moment de monter, il s'en fallut encore de
peu que Bridet ne prît la fuite. Si, pendant que les
inspecteurs tournaient autour de la voiture, le hasard
avait fait qu'ils se fussent trouvés d'un côté et lui de
l'autre, il n'eût pas hésité. Mais cette éventualité ne
s'était pas produite et, bien qu'il eût traîné le plus
longtemps possible, il dut finalement s'asseoir entre
eux.

Dans la « Simca », le bras d'un inspecteur passé
derrière son cou, non pour l'empêcher de fuir mais
par commodité, Bridet réfléchissait à ce qui venait
d'arriver. C'était Yolande qui avait tenu absolument
à ce qu'il regagnât le domicile conjugal. Tout à coup,
un soupçon affreux lui vint à l'esprit. La coïncidence
était extraordinaire. Juste le lendemain du jour où
elle était venue le chercher, deux policiers se présen-
taient chez elle. C'était à croire que Yolande y était
pour quelque chose. Non, ce n'était pas possible. S'il
y avait un responsable, c'était lui-même. Il ne faut
jamais s'en prendre à autrui lorsque survient un
malheur, mais à nous-mêmes. « Je n'avais qu'à faire
ce que j'avais décidé », murmura Bridet. Mais comment
eût-il pu se douter de ce qui arriverait? La police
française semblait absente de Paris. Comment supposer qu'elle existait toujours, alors que les Allemands
surveillaient et contrôlaient tout?

En arrivant au dépôt, un incident bizarre se produisit. Tant qu'il avait été chez lui, dans la rue, dans
l'auto, tant qu'il y avait eu malgré tout une possibilité
de fuir, Bridet justement pour ne pas montrer son

jeu, avait été très calme. Mais dès que la porte de la prison se fut refermée sur lui, la colère l'envahit. Comme dans le couloir on le poussait un peu familièrement, il s'arrêta soudain, disant qu'il ne ferait pas un pas de plus, qu'on n'avait pas le droit de l'arrêter, que c'était une honte, qu'on n'arrêtait pas les gens sans leur dire pourquoi. Un inspecteur le prit par le bras. Alors, perdant tout contrôle de ses actes, Bridet se dégagea avec violence en criant qu'il interdisait qu'on le touchât. De l'étonnement se peignit sur les visages des policiers qui se trouvaient là. A ce moment, Bridet se conduisit d'une façon tellement extravagante qu'il apparut à tous qu'il avait perdu le sens de la réalité. Interprétant cette seconde d'étonnement naturel comme le signe qu'il était plus fort que tous ces hommes réunis, il s'était approché d'une porte et, sans se rendre compte du ridicule de sa conduite, il avait dit au garde mobile qui la gardait : « Ouvrez immédiatement! »

Il n'eut pas le temps de prononcer un mot de plus. Deux hommes s'emparèrent de lui. Ils dirent : « Il ne faut pas nous la faire à l'intimidation. » Bridet esquissa un mouvement de défense mais il reçut une gifle. Il faillit répondre, mais tout à coup il comprit que c'était de la folie. Bien qu'il éprouvât le besoin de frotter sa joue, il ne porta pas la main à son visage.

– Vous êtes des canailles, cria-t-il.

L'inspecteur aux traits fins s'approcha de lui, la main levée :

– Retirez ce que vous venez de dire.

– Vous êtes des canailles, répéta Bridet.

L'inspecteur se mit à rire, affectant de ne l'avoir menacé que pour lui faire peur.

CHAPITRE 15

Bridet, contre l'usage, resta très peu de temps au dépôt. On le conduisit d'abord à l'identité judiciaire, mais là un différend administratif s'éleva et l'on ne procéda pas aux formalités habituelles. Il était visible que les fonctionnaires étaient un peu déroutés par la nouvelle juridiction. Bridet les regardait se débattre avec hauteur. A chaque instant, il leur demandait avec un faux sérieux : « Qu'est-ce que je dois faire ? Est-ce que je vous attends ? » Ils ne lui répondaient pas, oubliant parfois qu'ils avaient affaire à un prisonnier, absorbés qu'ils étaient par le souci de se couvrir.

On le conduisit finalement, après avoir emprunté un souterrain très propre et éclairé électriquement, dans une grande salle à voûtes ogivales. Un banc, formant corps avec la boiserie, faisait le tour de cette salle. Une cinquantaine de personnes, attendant qu'il fût statué sur leur sort, s'entretenaient par groupes.

Une heure plus tard, les deux inspecteurs vinrent chercher Bridet. Tous trois se réinstallèrent dans la petite « Simca » et, peu après, ils arrivaient à la prison de la Santé. Au cours du trajet, en suivant la rue

157

Le piège

Saint-Jacques, Bridet avait aperçu au coin du boulevard du Port-Royal, la maison où, lorsqu'il avait interrompu ses études de droit et quitté avec éclat le contentieux de la Nationale pour faire de la peinture, il avait loué un atelier.

Le porche à double battant de la prison, avec porte encastrée dans l'un d'eux, n'était pas tellement imposant. C'était presque l'entrée d'un bel immeuble d'une avenue du quartier de l'Étoile. Au-dessus, le drapeau tricolore flottait, sans vie, sans âme, malgré ses couleurs éclatantes.

Bridet traversa une sorte de cour recouverte d'une verrière et entourée de grilles comme une cage. Un gardien ouvrit une de ces grilles. Dans une grande galerie, d'étranges bureaux vitrés étaient alignés, ayant une toiture à eux quoique, au-dessus, la verrière les protégeât.

Bridet fut poussé dans une salle sans meuble, mais encombrée de portemanteaux. Peu après une porte s'entrouvrit. L'employé du greffe qui parut dans l'embrasure n'était pas un inoffensif bureaucrate. Il appartenait à l'administration pénitentiaire et, à ce titre, ne s'était pas toujours contenté de faire des écritures.

– Est-ce que vous êtes disposé à venir ?

– Mais oui, dit Bridet.

On l'introduisit dans une grande pièce nue et propre où flottait une odeur délicieuse de bois brûlé. On eût dit une salle d'études dont le ménage vient d'être fait et le poêle allumé. On le pria de vider ses poches. Les deux inspecteurs n'étaient pas encore repartis. L'un d'eux s'approcha de Bridet pour s'assurer qu'il n'avait rien gardé sur lui. Il le tâta, non seulement aux emplacements des poches mais le long des jambes. Puis il passa derrière lui, recommença son manège. Tout à coup, brandissant une poignée de papiers, il s'écria :

– Et ça ?

– Qu'est-ce que c'est ? demanda Bridet.

– Je vous le demande justement.

– Je ne sais pas.

L'inspecteur porta ces papiers à son collègue qui en distribua aux employés du greffe.

– Ce sont des tracts, dit un de ceux-ci.

– Des tracts ? s'exclama Bridet.

– Non, des images de la Sainte-Vierge, fit l'inspecteur au nez joliment dessiné.

Il se tourna vers Bridet et, le tutoyant pour la première fois :

– Tu nous avais pas dit que tu étais communiste...

Bridet se taisait. Si sa liberté n'avait pas été en jeu il eût répondu oui par défi.

– Ils ne sont tout de même pas tombés du ciel, ces tracts !

Bridet gardait toujours le silence.

– Dites, pendant que vous y êtes, que c'est nous qui les avons mis dans votre poche.

– Je n'accuse personne.

Tout le monde se passait et se repassait ces tracts, affectant de les tenir du bout des doigts, comme des papiers gras, n'osant les garder de peur d'avoir l'air de s'y intéresser.

– C'est le manifeste de Thorez, dit un bureaucrate.

– Ah ! celui-là, s'exclama un autre.

– Écoutez ça, non mais écoutez ça, s'écria un scribouillard qui était resté derrière sa table et paraissait avoir une réputation de pince-sans-rire : « La France veut vivre libre et indépendante. Jamais un

159

peuple comme le nôtre ne sera un peuple d'esclaves.
C'est dans le peuple que résident les grands espoirs
de libération nationale et sociale. C'est autour de la
classe ouvrière ardente et généreuse que se constituera
le front de la liberté. »

– Vous n'allez pas nous lire cette saloperie jusqu'au
bout, interrompit avec colère l'inspecteur aux traits
finement ciselés.

Le scribouillard, qui avait sans doute voulu faire
de l'esprit à moins qu'il n'eût pas été mécontent de
dire quelques vérités, se tut immédiatement. Il regarda
ses collègues, comme dans le monde un mari regarde
sa femme. Ceux-ci détournèrent les yeux. L'esprit de
l'Administration pénitentiaire ne semblait pas le même
que celui de la police.

– On cherche à m'avoir, hurla Bridet. Mais ça ne
se passera pas comme ça.

– Taisez-vous.

– Regardez-moi en face, continua Bridet toujours
aussi fort. Vous savez bien que c'est vous qui les avez
mis dans ma poche. Vous le savez bien et si vous
dites le contraire, vous êtes une abominable crapule.

L'inspecteur se mit à crier à son tour. Il y avait
un fait. Il n'entrait pas dans les détails. Bridet se
tourna vers les assistants.

– Enfin, vous étiez là, vous avez tout vu. Vous savez
que je n'avais pas de tracts. Et vous laissez faire, et
vous ne dites rien. C'est une honte.

Il y eut un instant de gêne. Puis des murmures
s'élevèrent.

– Oh! assez, on en a assez, vous commencez à nous
embêter, vous savez, il ne faut pas faire le malin, si
vous le prenez sur ce ton, ça va vous coûter cher,
nous voulons bien être gentils, mais il ne faut pas

nous prendre pour des imbéciles, vous vous expliquerez avec le juge, nous, nous faisons notre travail, un point c'est tout.

Sur ces entrefaites, le gardien-chef, dans cet uniforme sombre du personnel des prisons dont les galons, au lieu d'être dorés, sont d'un bleu triste, entra dans la pièce. Il avait une moustache en forme de rouleau et les cheveux en broussaille. Pour plaisanter, il claqua les talons et tendit le bras à l'hitlérienne. Cela avait beau être une plaisanterie, on sentait chez lui le vague regret que ce ne fût pas le salut français. Cela faisait tellement plus d'effet, ce claquement de talons et ce bras tendu, qu'une main ouverte à la visière d'un képi.

– Vous n'êtes pas à Berlin! lui cria l'inspecteur, sautant sur cette diversion.

– Qu'est-ce qu'on fait? demanda peu après un des employés du greffe.

– Le procès-verbal, il faut faire le procès-verbal. Vous voyez bien que nous l'attendons pour partir, dit l'inspecteur.

– Est-ce que ça en vaut vraiment la peine?

– Je vous crois que ça en vaut la peine.

Les employés se regardèrent. Il leur répugnait visiblement d'être mêlés à cette histoire. Mais comme l'inspecteur insistait toujours, ils commençaient à craindre qu'on ne les soupçonnât d'avoir une sympathie secrète pour les communistes.

Et le procès-verbal fut dressé.

Dans la cellule de la division B se trouvaient déjà trois détenus. Un conducteur de camion qui était monté sur un trottoir et avait écrasé contre un mur une fillette de 8 ans et une vieille femme. Un Polonais qui avait tué un de ses compatriotes. Il prétendait avoir agi en état de légitime défense. Enfin un personnage douteux que des soldats allemands avaient conduit dans un commissariat de la rue Rochechouart. Ils l'avaient vu extorquer de l'argent à des femmes de mauvaise vie, dans une maison close, en les menaçant d'un couteau. La police française avait longuement remercié ces soldats. Pour une fois que la collaboration ne pouvait être critiquée, elle s'en était donné à cœur joie. Le directeur de la brigade mondaine s'était même mis en rapport avec les autorités allemandes pour chercher quelle récompense il convenait d'accorder à ces honnêtes soldats.

Les trois prisonniers accueillirent Bridet avec beaucoup de cordialité. Le temps qu'ils avaient passé en prison leur faisait paraître celle-ci moins terrible. Ils trouvaient que Bridet prenait ce qui lui arrivait trop au tragique. Le premier jour était le plus mauvais. Ils pouvaient lui affirmer que demain il se sentirait déjà mieux.

Bridet se laissa tomber sur le tabouret. Au moment où on l'avait poussé dans la cellule, il avait crié, esquissé un mouvement de recul, si grande était son excitation. Et maintenant, quelques minutes plus tard, il était là, subitement retranché du monde, sans savoir ni pourquoi ni pour combien de temps. Il pensait à l'histoire des tracts. On avait voulu certainement aggraver son cas. Mais qui? Puisqu'il suffisait d'un ordre de ministre pour arrêter les gens, pourquoi cette comédie? Il avait peut-être pris de trop haut ces inspecteurs. Ils s'étaient vengés. Yolande aussi avait été maladroite. Quel besoin avait-elle eu de

162

parler à des gens qui, du point de vue patriotique, ne devaient pas avoir la conscience bien tranquille, des qualités du général Stulpnagel? Yolande était vraiment trop bête. Mais à la pensée qu'elle était peut-être en train de pleurer à cette minute, il s'attendrit.

Elle lui avait dit, au moment où les inspecteurs l'avaient emmené : « Ce soir tu seras libre. » Bridet crut toute la journée qu'elle allait venir le chercher, qu'il aurait du moins de ses nouvelles. Mais le rythme de son existence était brusquement changé. Une journée, deux journées, trois journées, ne sont que des minutes dans la vie des prisons. Et une semaine s'écoula avant qu'il revît Yolande. Il était si abattu que lorsqu'il se trouva en sa présence, sans lui laisser le temps de dire un mot, il la prit dans ses bras, la serra contre lui sans parler, un long moment, comme si la liberté passait au second plan à côté du bonheur de la revoir. Elle se dégagea dès qu'elle put le faire décemment.

– Tu es libre! lui dit-elle en écarquillant les yeux pour donner de la candeur à son visage.

– Comment!

– Oui, tu es libre.

Bridet la reprit par les épaules et, dans sa joie, l'embrassa, non pas longuement et une seule fois, mais précipitamment sur toutes les parties de son visage.

– Voyons, voyons, mon chéri, laisse-moi te raconter ce qui s'est passé.

Elle avait été voir Outhenin à la préfecture de police. Elle l'avait mis au courant de ce qui venait d'arriver. Il avait paru profondément étonné. Il lui avait dit de revenir, qu'il allait interroger les services. Le ministre n'avait sûrement pas été renseigné avec exactitude. Il avait dû prendre sa décision en se basant sur un rapport établi antérieurement. Par un oubli regrettable, mais excusable dans une période d'organisation, les résultats de l'enquête ne lui avaient sans doute pas été communiqués.

Deux jours après, elle avait revu Outhenin. Il lui avait lu le télégramme qu'il avait envoyé à Vichy. Il attendait la réponse. Yolande était encore revenue le lendemain. Tout de suite, Outhenin lui avait annoncé la bonne nouvelle : l'annulation de la décision ministérielle. Il ne restait plus qu'à la notifier aux services intéressés. C'était l'affaire de deux ou trois jours au plus. Elle n'avait pas attendu que tout fût réglé pour venir le voir. Elle savait trop ce que c'était que d'être dans l'incertitude.

— Mais est-ce que le procureur est averti ? demanda Bridet.

— Quel procureur ?

— C'est que je suis inculpé de manœuvres contre la sûreté intérieure de l'État. La police n'a plus rien à voir dans mon histoire. Je dépends de la justice. Outhenin ne t'en a pas parlé ?

— Pourquoi la justice ?

— A cause des tracts communistes.

— Quels tracts ?

— Ceux qu'on m'a mis dans la poche.

Yolande regarda longuement son mari.

— Tu avais donc des tracts ?

— Mais non, s'écria Bridet. Ce sont ces crapules de policiers qui me les ont mis dans la poche.

Yolande eut un sourire sceptique.

— Cela me paraît bien extraordinaire, dit-elle.

— C'est pourtant vrai. Tu ne me crois pas ?

— Si, si, mais ce genre d'histoire m'a toujours paru

extraordinaire. Pourquoi veux-tu qu'on te mette des tracts dans la poche ? Quand on sait que quelqu'un est un bandit et qu'on n'en a pas la preuve, je comprends. Mais ce n'est pas ton cas. Les policiers avaient un papier en règle.

– Ah ! ça, tu en as de bonnes. Tu appelles ça en règle.

Yolande garda un instant de silence.

– Tu me jures que c'est vrai ? demanda-t-elle.

Un certain désarroi était visible sur son visage. Cette histoire lui paraissait incroyable, mais elle ne pouvait douter de son mari.

– Si ce que tu me racontes est vrai, ajouta-t-elle, cela va faire un scandale.

Elle avait une expression douloureuse. Au fond, elle avait beaucoup de cœur et la révélation d'actions aussi abominables lui faisait perdre contenance. Elle se mit à réfléchir. Elle ne s'expliquait pas pourquoi on avait agi ainsi avec son mari. Pour la première fois, un doute se glissa dans son esprit sur la loyauté d'Outhenin et de tous ses amis de Vichy. Mais quand nous croyons à des gens, ce n'est jamais tout d'un coup que nous leur retirons notre confiance. Elle était en présence d'une astuce juridique. Ils s'étaient aperçus qu'ils avaient fait une bévue. Ils avaient imaginé cette histoire pour faire passer l'affaire d'un secteur dans un autre. En même temps qu'on mettait ces tracts dans la poche de son mari, on prévenait le ministère de la Justice. Bridet serait acquitté et l'Intérieur n'aurait pas besoin de se dédire.

– Je vais parler de tout cela à Outhenin, dit Yolande. Il faudra bien qu'il me donne le fin mot de l'histoire.

– Si ça se trouve, c'est ton Outhenin qui a fait le coup, dit Bridet.

Le piège

Yolande ne répondit pas. Elle embrassa longuement son mari. Puis elle le quitta en lui disant, pour le réconforter, que des actions pareilles se retournaient toujours contre leurs auteurs.

CHAPITRE 16

Quelques jours plus tard, Bridet fut conduit au Palais. Le juge d'instruction lui fit tout de suite bonne impression. C'était un homme beaucoup plus fin, beaucoup plus simple, beaucoup plus compréhensif que tous ces fonctionnaires de Vichy et, à plus forte raison, que toute cette racaille à laquelle Bridet avait eu affaire jusqu'à présent. Ce juge pouvait avoir une cinquantaine d'années. Il était un peu négligé d'aspect. Il avait le visage tourmenté d'un homme qui s'est posé, au cours de son existence, beaucoup de questions d'ordre moral et sentimental. On devinait, à son regard, qu'il voyait les hommes en présence desquels il se trouvait, qu'il les voyait réellement et qu'il les jugeait non pas d'après l'acte qui les amenait devant lui, mais selon leur valeur profonde.

Il procéda à l'interrogatoire d'identité de Bridet. Il lui annonça qu'il était inculpé de manœuvres contre la sûreté intérieure de l'État. Il lui demanda de faire le choix d'un avocat, sans paraître considérer pour cela que le prévenu était coupable. Puis il le pria de se retirer. Bridet, qui avait attendu que le juge lui posât des questions pour ouvrir son cœur, ne bougea

167

pas. « Vous pouvez vous retirer », répéta le juge.

– C'est tout de même incroyable, s'écria Bridet, qu'on puisse se servir de pareils moyens, qu'on puisse bâtir une accusation sur des machinations de basse police. Je vous le dis, Monsieur, ces tracts ont été mis dans ma poche par un policier. J'avais déjà entendu parler de ça, mais je n'avais jamais voulu le croire. Il faut en avoir été personnellement victime. Moi, je vous dis qu'on les a mis dans ma poche. C'est déshonorant pour la justice. On faisait ça avant la guerre avec la cocaïne, on en mettait dans la poche des marlous. Aujourd'hui, n'importe qui peut être traité de cette façon...

– Je vous en prie, je vous en prie, dit le juge avec douceur.

Il leva les bras d'un geste las et Bridet sentit qu'il trouvait que le prévenu se donnait bien du mal inutilement, car rien ne montrait encore qu'on lui reprochait quelque chose. Il était inculpé, c'était vrai, mais dans les conditions actuelles, cela ne tirait à aucune conséquence, sinon à de petits ennuis personnels et passagers, et se défendre avec tant de véhémence trahissait une certaine légèreté d'esprit, car tous les hommes, aujourd'hui, qu'ils fussent juges ou inculpés, patrons ou ouvriers, étaient logés à la même enseigne.

De retour dans sa cellule, Bridet eut le sentiment réconfortant que les Boches n'avaient pas tout contaminé, qu'il y avait quand même, dans certains milieux, des îlots français.

Dimanche, Yolande revint le voir. Elle était changée. Outhenin l'avait envoyée auprès d'un certain Jean-Claude Fallières. Son amour des gens bien était tel qu'elle ne put, même dans ce parloir de prison, s'empêcher de dire qu'elle croyait que c'était le petit-fils de l'ancien président de la République, ce qui était d'ailleurs inexact. Il n'avait pas paru étonné par cette histoire de tracts. Tout était possible d'après lui. Elle s'était alors rendue à la Préfecture pour essayer de voir Schlessinger. On lui avait répondu qu'il était en voyage. « Mais M. Outhenin m'a dit qu'il était rentré. » Elle s'était mise en colère. Elle avait parlé de se plaindre au général Glouton. Mais cette menace n'avait fait aucun effet. Vu de Paris, Vichy n'était pas bien redoutable, même pour les services restés sous sa dépendance. Elle était retournée voir Outhenin, qui, à son tour, s'était dérobé. Tous ces gens étaient des égoïstes et des lâches. Ils se surveillaient entre eux. Ils n'avaient en réalité aucun pouvoir. Dès qu'ils sentaient qu'il y avait des intérêts en jeu, ils se méfiaient. Cette histoire de tracts leur faisait peur. Évidemment, il aurait fallu ouvrir une enquête. On ne se trouvait peut-être qu'en présence d'une fantaisie de policiers subalternes. Mais on ne pouvait pas savoir. Il était difficile, d'autre part, d'ordonner cette enquête sans paraître faire pression sur la justice, sans jeter du discrédit sur la police. Et, dans les temps actuels, le seul fait qu'on pût être soupçonné d'une telle arrière-pensée pouvait vous mener loin.

C'était à ce moment que Yolande s'était décidée à aller avenue Kléber, au quartier général du général Stulpnagel. Ah! il fallait voir la différence. Elle avait été reçue tout de suite, sans attendre une minute, non par le général Stulpnagel, car il était en voyage (ce qui était vrai, les Allemands ne mentaient pas), mais par un autre général tout aussi important. On avait tout de suite pris en note toutes ses déclarations. Détail intéressant, le général allemand, s'apercevant que l'émotion empêchait Yolande de parler, s'était levé et, comme elle restait droite dans son fauteuil, il l'avait prise avec beaucoup de tact par les épaules et l'avait obligée à s'adosser et à se mettre à l'aise dans un geste si paternel qu'elle en avait presque pleuré. « C'est une histoire dans le genre de l'ascenseur du Carlton », murmura Bridet. Enfin, quand elle avait été remise et après qu'elle lui eut raconté ce qui s'était passé, il n'avait fait aucune promesse, il n'avait pas laissé deviner sa pensée, mais elle avait senti combien il avait été dégoûté par les procédés honteux qu'elle lui avait signalés. En la reconduisant, il lui avait serré fortement la main et il l'avait longuement regardée dans les yeux. Il n'avait prononcé que quelques mots, et ces mots étaient les suivants : « Madame, je verrai ce que nous devons faire. »

Pendant ce récit, Bridet dut se faire violence pour ne pas se mettre en colère. Quand on est si loin des gens comme il l'était en ce moment de Yolande, parler c'est creuser un fossé encore plus grand. Il n'y avait rien à faire. Il dit cependant, en prenant le ton le plus trompeur, le plus doux :

– C'est très bien, ce que tu as fait, ma chérie. Je te remercie. Mais, tu sais, j'ai vu le juge et je crois que mon affaire va être arrangée. Aussi, il vaut mieux que tu te tiennes tranquille. Tu auras tout le temps plus tard, ma chérie, si les choses tournent mal, d'agir.

★
★ ★

Le 15 mars 1941, Bridet passait devant la 5e chambre correctionnelle. Au cours du trajet du boulevard Arago au Palais, un garde mobile voulut lui mettre les menottes. « Oh! ça n'en vaut pas la peine... », dit un autre garde mobile. Mais, en arrivant, comme il aperçut son capitaine, le premier garde s'approcha de Bridet et, le masquant, fit semblant de lui ôter les menottes.

Le président de la 5ᵉ chambre était un homme d'une soixantaine d'années dont les cheveux blancs étaient coupés en brosse. Il avait quelque chose de ferme qui contrastait avec la mollesse de ses assesseurs.

En entrant, Bridet fixa ses yeux sur le tribunal, puis sur le procureur qui, il faut le dire, avait l'air assez humain, assez capable de renoncer théâtralement à une accusation. L'avocat de Bridet, à ce moment, se leva et, passant un bras par-dessus le box, fit signe à son client de se pencher. Il lui parla à voix basse, mais Bridet ne l'écouta pas. Il avait aperçu Yolande. Il lui fit signe. Elle lui répondit par gestes que tout allait bien. Bridet s'assit, très calme. Il savait qu'il ne risquait pas grand-chose pour l'époque : cinq ans de prison au plus, qu'il ne ferait pas si la guerre finissait avant. Mais cette fin paraissait si lointaine qu'il était sombre quand même. Au fond, de ce jugement dépendait toute sa vie, car quelque modéré que fût celui-ci, aucune vie n'est moins assurée que celle d'un homme emprisonné pendant que de grands bouleversements s'opèrent à l'extérieur.

Le procès dura quelques minutes. Bridet répondit aux questions qu'on lui posa sans hésitation et sans colère, car trop de temps s'était écoulé depuis qu'on lui avait glissé les tracts dans la poche. Il avait pris le ton d'un homme qui ne voit pas ce qu'on lui veut. On eut de petits égards pour lui. C'est ainsi qu'au cours de la déposition d'un faux témoin (il s'agissait

171

d'un soi-disant commerçant patenté de la rue Demours que Bridet aurait poussé à adhérer au parti communiste et à qui il aurait remis des tracts), le président, devant les contradictions de ce témoin bizarre, avait cligné les yeux malgré lui en regardant Bridet.

Le procureur se leva, débita d'effroyables banalités sur le maintien de l'ordre et le péril bolcheviste, puis se rassit.

Les trois juges échangèrent quelques paroles. Bridet avait l'impression qu'ils lui étaient favorables. Le président dit : « Je crois qu'il vaut mieux que vous reconnaissiez les faits. Le tribunal appréciera et se montrera indulgent. »

Le jugement fut enfin rendu. Le tribunal décidait que les faits n'étaient pas établis. Bridet était acquitté au bénéfice du doute.

– Vous êtes libre, dit le président.

Le visage de Bridet s'épanouit :

– Merci, merci Monsieur le Président...

Peu après, il pensa qu'il n'avait eu aucune raison de remercier qui que ce soit. « Oh! c'est par gentillesse. Un peu de reconnaissance, de déférence, coûte si peu et fait tant plaisir. »

– A tout à l'heure, attends-moi à la sortie, cria-t-il en se tournant vers Yolande qui, debout, agitait les bras pour lui montrer sa joie.

Bridet avait déjà repris ses manières aisées d'homme libre. Comme le garde mobile, en quittant le box, voulait le faire passer le premier, Bridet lui mit amicalement la main sur l'épaule et lui dit : « Non, non, après vous... pas toujours moi... »

En montant dans la voiture cellulaire qui le conduisait à la Santé pour la levée d'écrou, il put échanger quelques mots avec Yolande. « Tu vois, tu vois... », disait-elle. « Oui, ma chérie, j'ai vu... »

Les formalités se passèrent selon les règles habituelles. Elles semblèrent interminables à Bridet. Enfin, il apposa sa signature dans un grand livre. En le fermant, le scribe, pour se donner de l'importance, dit : « Vous êtes libre. » On avait rendu à Bridet sa cravate, ses lacets, le peu d'argent qu'il avait eu sur lui.

Si ses vêtements n'avaient pas été fripés par l'étuve, il eût pu croire qu'il n'avait jamais été prisonnier. Un gardien l'accompagna jusqu'à la première grille. Dans la cour surplombée d'une verrière qu'il fallait traverser avant d'atteindre la sortie se trouvaient plusieurs groupes de personnes. C'étaient sans doute de nouveaux prisonniers qu'on amenait. Soudain, deux hommes s'avancèrent vers Bridet.

– Vous êtes monsieur Bridet ?

– Oui, pourquoi ?

– Nous sommes chargés de vous conduire à la préfecture de police. Veuillez venir avec nous.

– Pourquoi ? Comment ça se fait ? Pourquoi ?

– Nous, nous n'en savons rien. On vous le dira là-bas.

En parlementant, Bridet finit par comprendre ce qui se passait. A la demande des autorités allemandes d'occupation, le préfet de police s'était vu dans l'obligation de prendre un arrêté d'internement contre Bridet. Les deux inspecteurs, qui avaient l'air d'ailleurs très gênés par leur mission, lui expliquèrent que cela arrivait souvent quand les Allemands n'avaient pas été satisfaits d'un jugement. Ils croyaient que le camp où Bridet serait conduit était celui de Venoix, dans l'Oise, « un des meilleurs », ajoutèrent-ils.

Le piège

La déception de Bridet fut si grande que, brusquement, il ne put se contenir.

– ... Vous vous dites Français et vous faites un pareil travail pour les Boches... Vous n'avez pas honte. J'aimerais mieux balayer les rues si j'avais besoin de gagner ma vie.

A ce moment, un homme se détacha d'un des groupes qui stationnaient dans la cour. Il était de très grande taille, mais maigre et voûté. Il avait la poitrine si creuse qu'on eût dit qu'il se tenait plié à la suite d'un coup. Il n'était pas rasé. Il portait un chapeau melon poussiéreux, d'une ligne démodée. Il vint se planter devant Bridet.

– Qu'est-ce que vous dites?

Bridet eut tout de suite l'impression que c'était un des policiers qui accompagnaient les nouveaux arrivés.

– Je dis que les Français qui servent les Boches comme vous le faites en ce moment, ce sont des vendus et qu'un jour viendra où ils seront tous fusillés.

L'homme ôta son chapeau, comme s'il voulait se mettre sur le même plan que son interlocuteur.

– C'est à moi que vous dites ça? demanda-t-il avec un fort accent faubourien.

– A vous et aux autres.

– Eh! bien! fermez votre g... Je vous parle d'homme à homme, vous m'entendez. Vous n'avez pas le droit de reprocher quelque chose à ceux qui sont pour les Boches. Moi, je suis pour les Boches, je ne vous le cache pas. Nous sommes tous pour les Boches, n'est-ce pas, messieurs?

Les deux inspecteurs gardèrent le silence, mais ne protestèrent pas.

– Quand on a fait ce que nous avons fait, vous m'entendez petit prétentieux, eh bien, on n'a qu'à la boucler. Parfaitement, vive les Boches, ce sont des as, et nous, nous sommes des c...

Comme il s'échauffait de plus en plus, les deux inspecteurs l'éloignèrent. En sortant, ils s'efforcèrent de prendre Bridet par les sentiments. Il n'aurait pas dû parler de la France comme il l'avait fait. En généralisant, on était toujours injuste. Puis ils firent une remarque qui plongea Bridet dans le plus profond étonnement : « Le type de tout à l'heure, nous le connaissons. C'est un brave type. »

Bridet passa la nuit et la journée du lendemain à la préfecture. Il avait fait prévenir Yolande, mais il ne put la voir car, passant constamment d'un bureau à l'autre, d'un étage à l'autre, d'un bâtiment à l'autre, il était déjà parti chaque fois qu'elle retrouvait sa trace.

Le surlendemain, il était interné, comme le lui avaient laissé entendre les inspecteurs, au camp de Venoix, près de Clermont, dans l'Oise.

CHAPITRE 17

Le camp de Venoix avait l'aspect d'un lotissement. Il avait été aménagé dans de grands pavillons de ciment armé destinés à une école d'aviation dont la construction avait été interrompue par la guerre. Ils étaient éparpillés sur un vaste quadrilatère. A certains détails, on devinait qu'achevés ils eussent été confortables. Des commodités auxquelles, dans le passé, on n'avait pas songé, avaient été prévues.

Le régime de ce camp était si différent de celui de la prison que les premiers jours Bridet éprouva un soulagement. Le simple grand air, au sortir de la promiscuité de l'étroite cellule de la Santé, semblait une immense faveur. Les internés avaient de la place. Ils lavaient leur linge, faisaient bouillir de l'eau. Ils se promenaient entre les pavillons. Ils étaient des compagnons plus agréables pour Bridet que ses anciens codétenus de la prison. Ils n'avaient aucun crime sur la conscience. On le sentait bien à leur regard, à la désinvolture avec laquelle ils répondaient aux gardes mobiles, à leur étonnement devant certaines mesures pénitentiaires.

Depuis son arrivée à Venoix, Bridet se demandait

177

si Yolande n'était pas encore à l'origine de ses nouveaux ennuis. Peut-être que si elle n'avait pas été voir les Allemands, ils n'eussent pas songé à lui. Mais puisque d'autres internés, pour lesquels personne n'était intervenu, se trouvaient là aussi, à la suite d'aventures à peu près semblables aux siennes, il était probable qu'elle n'avait influé en rien sur son sort.

Dans la soirée, lorsque après avoir interrogé son entourage, il eut mieux compris ce qui lui était arrivé, il écrivit longuement à Yolande pour la guider dans les démarches qu'elle aurait à faire pour obtenir sa mise en liberté. Les Allemands ne faisaient aucune pression sur la justice, mais quand ils estimaient qu'un tribunal n'avait pas accompli son devoir, que l'individu relâché était dangereux, ils prévenaient les autorités françaises. Cela s'était certainement produit. Une simple note au préfet de police lui demandant des apaisements avait déterminé son internement. Yolande devait donc agir avec beaucoup de prudence. Il lui conseillait de ne plus faire appel à ses amis de Vichy. Ils s'étaient trop occupés de lui pour s'intéresser encore à cette histoire. Ils n'y étaient d'ailleurs pour rien et une intervention de leur part, en admettant qu'elle fût possible, lui ferait plutôt du tort. Il valait mieux laisser la police vichyssoise de côté, même bien intentionnée, et tâcher d'approcher un personnage jouant un rôle important dans les rapports de la nouvelle administration française et des autorités allemandes d'occupation.

Trois semaines s'étaient écoulées depuis que Bridet était au camp lorsque Yolande obtint enfin l'autorisation de le voir. Cette visite lui fit beaucoup de bien. Il s'était attendu à ce que sa femme parût devant lui les yeux gonflés et l'air penaud, qu'elle eût conscience d'être un peu la cause de ce qui lui arrivait, qu'elle cherchât à se faire pardonner. Il l'avait craint car, dans l'état d'abattement où il se trouvait, ce dont il avait besoin, ce n'était pas de remords ni de regrets, mais de gaieté et de confiance. Yolande était si heureuse de revoir son mari qu'elle avait un peu trop oublié qu'il était prisonnier. Bridet eut un serrement de cœur. Elle est tout de même extraordinaire, cette rapidité avec laquelle le monde prend son parti de nos malheurs et bâtit déjà un avenir où il est tenu compte de ce qui est perdu. Au fond, sa femme se conduisait avec lui comme avec la France. Il avait été libre. Mais à présent, il fallait se rendre à l'évidence, il ne l'était plus.

Elle lui annonça tout de suite qu'elle avait suivi ses indications et qu'elle n'avait pas interrompu un seul jour ses démarches. Mais elle n'était plus indignée comme quand on avait arrêté son mari. Bridet comprit alors que, quelque pénible que fût sa situation, Yolande ne la considérait pas avec les mêmes yeux que lui. Elle ne la trouvait pas particulièrement terrible, pas plus terrible que celle d'un prisonnier de guerre. Évidemment, elle était grave, mais les choses devaient finalement s'arranger. Bridet avait même l'avantage d'être en France, ce qui permettait à sa femme de le voir de temps en temps et d'agir plus efficacement. Ce n'était donc pas tellement mauvais qu'il fût interné dans ce camp. Pendant qu'il était là, il ne s'exposait pas à d'autres dangers. Cette mesure d'internement, quelque injuste et surprenante qu'elle parût au premier abord, n'en était pas moins, si on songeait aux malheurs possibles qui pouvaient encore s'abattre sur la France, une sorte d'assurance prise sur l'avenir. Puisqu'il était officiellement censé avoir été mis hors d'état de nuire, on pouvait supposer que les Boches allaient à présent le laisser tranquille.

Bridet mit sa femme en garde contre cette illusion. Il n'était pas tellement à l'abri dans ce camp. On lui avait raconté que tous les trois ou quatre jours, un officier allemand venait s'entretenir avec les autorités du camp et que presque toujours à la suite de ces visites un des internés était appelé au bureau. Le lendemain il partait et personne n'entendait plus parler de lui. Bridet n'était pas du tout certain que cette aventure ne lui arrivât pas un jour. Il s'agissait vraisemblablement d'individus que les Allemands faisaient comparaître devant leurs tribunaux à eux. Avec les Français, on pouvait quand même espérer s'en tirer, mais avec les Boches...

Yolande répondit avec assurance qu'il ne devait pas s'inquiéter. Ceux que les Allemands réclamaient ainsi n'étaient certainement pas des enfants de chœur. On avait dû apprendre qu'ils appartenaient à des organisations de résistance active. Ils avaient peut-être même participé à des attentats. Mais lui, puisqu'il n'avait rien fait, il pouvait dormir sur ses deux oreilles. Les Allemands ne frappaient pas au hasard, ils savaient parfaitement ce qu'ils faisaient.

« Mais, s'écria Bridet, c'est pourtant à cause d'eux que je suis ici. Tu oublies l'histoire des tracts. Nous ne savons pas ce qui se passe en dessous. »

Yolande sourit. Si on ne reprochait que ces tracts à son mari, elle aimait mieux le dire, elle ne se faisait pas beaucoup de mauvais sang. D'ailleurs, elle en avait la certitude, mais puisqu'il s'inquiétait, elle

180

pouvait lui dire qu'elle n'avait pas perdu son temps. Les préfets de l'Oise et de la Seine avaient été informés grâce à elle. Dans deux ou trois semaines (il ne fallait pas qu'ils pussent penser qu'on leur forçait la main), s'il n'y avait rien de nouveau, elle s'arrangerait pour les voir.

Mais, au fond, elle ne croyait pas que ce fût la bonne voie. Elle l'avait suivie pour faire plaisir à son mari. S'il n'avait tenu qu'à elle, elle savait bien ce qu'elle aurait fait.

– Qu'est-ce que tu aurais fait ? demanda Bridet.

– Veux-tu que je te dise, répondit-elle, quelles sont les seules personnes qui peuvent faire quelque chose pour toi ? Les seules qui aient encore quelque influence sur les Allemands, qui leur en imposent même, que ceux-ci ont intérêt à ménager. C'est l'armée.

Yolande aurait dû y penser plus tôt, à Vichy, par exemple, au lieu de perdre son temps à courir de l'Hôtel du Parc aux Célestins. Elle n'aurait dû se déranger que pour aller au ministère de la Guerre. Mais il n'était pas trop tard. Si les préfets ne bougeaient pas, eh bien, elle se tournerait de ce côté.

– Fais attention, lui dit Bridet.

Un mois s'écoula durant lequel Bridet n'eut aucune nouvelle de sa femme. Elle lui écrivait certainement, mais les lettres devaient être retenues quelque part. L'idée de s'évader lui venait de plus en plus souvent. Il avait l'impression que plus il attendait, plus il lui serait difficile de rejoindre de Gaulle. La police s'organisait. Et puis, un bruit inquiétant commençait à circuler dans le camp. Les prisonniers qu'on emmenait à la suite de ces visites d'officiers allemands, on ne les emmenait pas pour les juger. C'étaient des otages. Et si personne ne recevait plus de nouvelles d'eux, la raison en était bien simple. Ils avaient été fusillés.

Lorsque Yolande revint enfin voir son mari, il lui fit part de son intention de s'évader. Elle ne lui répondit pas, n'osant l'en dissuader, mais quand il lui demanda de l'aider, elle lui fit remarquer que c'était vraiment inutile de courir un tel risque au moment où il allait être libéré. Elle avait reçu de Wiesbaden une lettre d'un officier d'état-major du général Huntziger, le capitaine Aloysius Dupont, délégué à la commission d'armistice. Il avait fait faire les démarches qu'elle lui avait demandées. D'après les renseignements qu'il avait pu obtenir et qu'il était heureux de lui transmettre, le cas de son mari était connu. M. Joseph Bridet ne courait absolument aucun danger. Il était maintenu au camp de Venoix non pas à cause de la gravité de ses actes, mais par suite de l'obligation où se trouvaient nos ex-adversaires vis-à-vis de la population française de ne pas revenir sur une décision qu'ils avaient prise. On pouvait cependant envisager que dans un avenir très proche une solution qui satisferait tout le monde serait adoptée. Schlessinger, de son côté, avait recueilli les mêmes renseignements. « Il faut que je te dise encore une chose qui va te faire plaisir, ajouta Yolande. Depuis que tu es au camp, tout le monde a complètement changé à ton égard. La complaisance et la gentillesse de nos amis m'ont profondément émue. Même Outhenin fait tout ce qu'il peut pour toi et le plus sincèrement. Qu'est-ce que tu veux, nous avons beau nous disputer entre Français, il y a une chose qui nous réconcilie immédiatement, c'est la prétention des étrangers de se mêler de nos affaires. »

Quelques jours plus tard, Bridet fut appelé à la direction du camp. Le capitaine Lepelletier avait l'air d'un brave homme. Il ne leva même pas les yeux sur Bridet. Il lui annonça que le ministère de l'Intérieur lui avait demandé un rapport sur sa conduite.

– Voici le rapport que j'ai fait sur vous, ajouta le capitaine en le tendant à Bridet et en le priant de le lire.

C'était un rapport banal où figuraient surtout des dates. Il se terminait sur la phrase neutre suivante : « La conduite de Joseph Bridet n'a donné lieu à aucune remarque particulière. »

Lorsqu'il eut rendu ce rapport, Bridet, ne sachant pourquoi on le lui avait fait lire, garda le silence, attendant une question quelconque. Mais le capitaine ne lui en posa aucune. Toujours sans lever la tête, il lui dit qu'il pouvait se retirer.

– Pourquoi m'avez-vous fait lire ce rapport ? demanda Bridet.

– Pour votre gouverne, pour votre gouverne...

Le reste de la journée, Bridet ne pensa plus à cet incident. Mais dans son lit, il se le rappela tout à coup.

C'était bizarre. On n'avait jamais vu un directeur de camp faire lire le rapport qu'il envoyait à son supérieur par celui qui en était l'objet. C'était visiblement une gentillesse. Mais Bridet ne connaissait pas ce capitaine. Pourquoi cette gentillesse ? Il y avait visiblement un sous-entendu que Bridet devait comprendre. C'était un peu comme si, au cas où il arriverait quelque chose, le capitaine Lepelletier avait voulu dégager sa responsabilité. Ceci était une interprétation. Une autre plus rassurante était que, se doutant que le prisonnier allait être libéré, ce capitaine voulait gagner sa sympathie. Comment savoir la vérité? Bridet s'endormit enfin.

Au cours des semaines qui suivirent, Bridet n'eut aucune nouvelle de ce rapport. Il finit par ne plus y penser. Cette demande de renseignements, à n'en pas douter, avait été encore causée par ce besoin de l'administration, qui tenait à garder la haute main sur tout, de faire acte d'autorité.

Bridet s'habituait à la vie du camp. Il s'était lié avec quelques-uns de ses compagnons. Tous avaient plus ou moins la même façon de sentir et de réagir. Au point de vue moral, il était moins seul qu'en liberté. Ces 250 hommes, venus des milieux sociaux les plus divers, imposaient le respect par leur unité. Une impression de force se dégageait d'eux et, comme après avoir traversé la ligne de démarcation, au buffet de la gare, Bridet éprouvait de la fierté de faire partie d'un tel groupement. Il s'y sentait à l'abri, beaucoup plus à l'abri que dans les couloirs des ministères vichyssois. Rien ne pouvait être fait contre lui. Il dépendait d'une collectivité qui était de taille à répondre à toutes mesures prises contre elle. On en avait eu la preuve. Plusieurs fois déjà, les autorités avaient été obligées de rapporter une décision.

Un soir pourtant, le bruit se répandit dans le camp que deux internés qui avaient été transférés, trois jours plus tôt, à la prison de Clermont, avaient été exécutés. On donnait les noms. Certains affirmaient qu'ils avaient été guillotinés. Cela parut tellement monstrueux à Bridet qu'il ne le crut pas. Ces histoires d'épouvante lui semblaient toujours du domaine de l'imagination. D'ailleurs, nombreux étaient ses camarades qui partageaient ses doutes. Mais il en était d'autres, aussi nombreux, qui étaient persuadés de la véracité de ce bruit. « Si c'est vrai, c'est que nos deux camarades ont commis des actes que nous ignorons », remarqua Bridet. « Pas du tout, lui répondit-on. Ils n'ont rien fait. Ils ont été exécutés comme otages. » L'un d'eux était un homme de 57 ans, d'une condition très modeste (c'était un terrassier qui avait eu la malchance d'appartenir à une organisation ouvrière) qui avait été interné pour avoir tenu, le lendemain de Montoire, des propos injurieux à l'égard du chef de l'État.

Profitant de la sympathie qu'il avait su s'attirer d'un employé du camp en racontant qu'il avait écrit dans les journaux, Bridet chercha à connaître la vérité. Deux hommes avaient été en effet exécutés. Mais il ne put savoir rien d'autre. Il n'en eut pas moins l'impression qu'au bureau on avait su une semaine à l'avance que ces deux hommes seraient exécutés (le second était un instituteur de 27 ans). Ainsi, pendant que les prisonniers lavaient leur linge, écrivaient à leur famille, se livraient à toutes les petites occupations d'une vie ralentie, ces fonctionnaires avaient su que deux hommes allaient être tués. Qu'ils eussent continué à veiller sur le camp comme si tout était normal les rendit, du jour au lendemain, odieux. Des altercations s'élevèrent entre les gardes et les internés. Le capitaine Lepelletier songea à sévir. Finalement, certains fonctionnaires furent déplacés. Le calme revint. L'atmosphère n'en demeurait pas moins lourde. Il ne se passait pas de jour que le bruit ne courût que d'autres otages allaient être désignés. Des journaux entraient dans le camp. A chaque relation d'attentat ou de sabotage, une grande effervescence se manifestait. Des groupes se formaient devant les pavillons. Les autorités du camp s'en émurent finalement. Ce fut à ce moment qu'elles firent afficher la déclaration dont voici le résumé : « Elles avaient remarqué une certaine agitation causée par la présomption d'une désignation d'otages. Elles tenaient à faire savoir aux internés du camp de Venoix que le gouvernement de l'État français s'était opposé à toute désignation d'otages dans les camps d'internement, que les rumeurs qui avaient couru à ce sujet étaient sans fondement, que jamais aucun otage n'avait été désigné et, à plus forte raison, exécuté. »

Cette déclaration calma certains esprits, mais laissa Bridet complètement indifférent. Le gouvernement de l'État français, si chatouilleux quand il s'agissait d'honnêteté et de droiture, n'en était pas à un mensonge près. Il suffisait qu'il assurât qu'il ne serait pas touché à certaines catégories de Français pour que ceux-ci, immédiatement, se tinssent sur leurs gardes.

Bridet écrivit à Yolande qu'il voulait la voir immédiatement. A mots couverts, il lui fit comprendre ce qui se passait. Cette sensation d'être à la merci du hasard d'une désignation rendait pénible la vie au camp. Elle lui répondit qu'il ne fallait pas qu'il s'abandonnât ainsi à des impressions. Elle s'occupait de lui. Elle espérait aboutir prochainement. Dans deux semaines au plus, elle viendrait le voir, non pas les mains vides, mais avec une bonne nouvelle.

Comme elle l'avait promis, quinze jours plus tard, elle arrivait au camp. Avec le temps passé à la Santé, cela faisait déjà près de six mois que Bridet était privé de sa liberté. Il avait beaucoup maigri. Cela n'eût rien été sans le sentiment d'être pris dans un étau qui se resserrait implacablement. Malgré ses démarches, ses allées et venues, ses lettres, ses appels à l'amitié, il était toujours prisonnier et dans des conditions qui, insensiblement, empiraient. Quand il aperçut sa femme, à peine changée, plutôt embellie, visiblement heureuse d'avoir repris une vie active, il eut l'impression qu'elle s'était non pas détachée de lui, mais qu'elle ne réalisait pas la gravité de la situation. Elle l'embrassa comme une femme qui retrouve un guerrier, feignant d'oublier qu'elle était élégante et soigneusement fardée. Elle lui dit tout de suite que si elle n'était pas venue plus tôt, c'était parce qu'elle avait attendu une grande nouvelle. Elle venait de la recevoir. Bridet était libéré. C'était fini. Il n'était plus prisonnier...

Bridet resta un instant muet de joie. « Oh! ma chérie, s'écria-t-il enfin, si tu savais le poids que tu m'ôtes. » Il lui expliqua qu'il n'avait pas souffert de la vie du camp. Il lui était indifférent de mal manger, de mal dormir, de vivre dans un pavillon dont le ciment n'était pas sec. Il n'avait jamais attaché d'importance à ses aises. Yolande le savait bien. Ce qui avait été affreux, ç'avait été de se demander chaque matin si des otages n'avaient pas été désignés, s'il n'allait pas figurer parmi eux.

⋆[⋆]⋆

Le soir, Bridet se prit à regretter de n'avoir pas demandé plus de précisions à Yolande. C'était souvent ce qui arrivait avec les bonnes nouvelles. Par peur d'en découvrir un aspect moins heureux, on n'ose en parler. Il était libéré, mais en attendant, il était toujours là. « Elle a voulu dire, pensa Bridet, que ma libération était signée, que légalement j'étais libre. Mais il me faut attendre que les formalités soient terminées. »

Une semaine s'écoula sans qu'il reçût la plus petite nouvelle au sujet de sa libération. Les bruits les plus divers circulaient toujours dans le camp. Certains s'évanouissaient comme ils étaient venus, mais d'autres persistaient, se grossissant de nouvelles contradictoires. Parmi ces bruits, il en était un qui revenait sans cesse sous des aspects différents. Un officier supérieur, certains disaient même un général, avait été assassiné tout près, à Beauvais. Un autre aussi avait été tué, plus près encore, à Clermont, à moins que ce ne fût le même. Les habitants de ces deux villes n'avaient plus le droit de sortir. En outre, interdiction formelle leur avait été faite de fermer leur porte la nuit. Devant un pareil état de choses, on eût presque pu envier le sort des internés de Venoix. « Vous allez voir ce qu'on va prendre », disaient certains. Aucune situation n'est plus lourde de menaces que celle de prisonniers qui, à la faveur d'un extraordinaire concours de circonstances, se trouvent favorisés par rapport à la population.

Bridet essaya de se rassurer en pensant que si on désignait des otages, il ne figurerait pas parmi eux,

188

puisque les autorités du camp, même si elles n'avaient pas mis à exécution l'ordre de le libérer, l'avaient certainement reçu. Cette supposition ne le satisfaisait pourtant pas. Si on passait outre, que pourrait-il faire? Cela s'était déjà vu à Vichy. Même si elles s'étaient trompées, les autorités ne le reconnaîtraient pas. La désignation d'un otage est une chose trop grave pour qu'elle puisse être rapportée, d'autant plus qu'une telle mesure implique la désignation d'un remplaçant.

Quelques jours s'écoulèrent encore sans que rien de nouveau ne parvînt à la connaissance des prisonniers. Une journée entière se passa même sans qu'on parlât de l'officier allemand tué. Mais tout à coup, les mêmes bruits se remirent à courir, beaucoup plus précis qu'avant. A Clermont, dans la même nuit, un colonel allemand et un simple soldat avaient été assassinés. Si les coupables ne se faisaient pas connaître dans les vingt-quatre heures, quinze otages seraient désignés et fusillés.

Cette nouvelle fit une telle impression sur Bridet qu'il sentit une colère folle l'envahir contre Yolande. Il avait besoin de s'en prendre à quelqu'un. Cette femme était vraiment une criminelle. C'était par sa faute à elle qu'il était ici. Pourquoi, puisqu'elle prétendait qu'il était libéré, ne s'était-elle pas occupée de lui, n'avait-elle pas activé les formalités? Il ne lui avait pourtant pas caché les dangers qu'il courait. Il lui écrivit sur-le-champ une lettre, mais il se laissa aller à tant d'écarts de plume, qu'il n'osa la confier au vaguemestre. Justement un certain Baumé, plus heureux que Bridet, car on s'occupait de lui au moins, devait quitter le camp le soir même. Bridet lui remit sa lettre. Il lui demanda d'aller voir Yolande, de lui parler, de lui raconter ce qui se passait. Écoutant son mari à travers un inconnu, elle serait plus accessible.

L'après-midi sembla interminable. Les conversations ne roulaient que sur cette désignation d'otages. Si on en prenait 15, cela faisait que chacun avait à peu près une chance sur vingt d'être du nombre. Vers 5 heures, il eut l'occasion de boire une bouteille de vin avec un camarade. N'y avait-il pas de l'exagération dans toutes ces rumeurs? Le temps où les autorités du camp avaient déclaré qu'il ne serait jamais procédé à une désignation d'otages n'était pas si loin. Elles n'avaient pu se dédire si rapidement. Et puis, avait-on seulement la certitude que cet officier avait été tué, en tant qu'Allemand? D'après certains bavardages, il avait été tué par le mari d'une femme qui l'avait surpris chez lui. Il s'agissait en réalité d'un drame passionnel. On ne pouvait fusiller quinze hommes parce qu'un mari avait tué l'amant de sa femme. Quant au soldat, il était ivre. C'était au lendemain d'une bagarre entre soldats allemands qu'on avait retrouvé son corps devant l'Alcazar.

Bridet s'étendit sur son lit. Tous ses compagnons de chambrée étaient là. C'était l'heure où ils jouaient aux cartes, mais ce soir-là ils ne faisaient que parler. Bridet aurait voulu être seul, ne voir personne. Il ne croyait pas encore que des otages seraient désignés, mais en 39, il n'avait pas cru non plus à la guerre. Il croisa ses mains derrière sa nuque. On ne peut fermer les oreilles comme on ferme les yeux. Il souffrait d'entendre répéter sans arrêt ce qu'il avait entendu toute la journée. Ce qu'il y a de plus accablant dans les moments tragiques de la vie, c'est le désarroi de ceux qui nous entourent. Nous sommes arrivés, à force de volonté, à chasser de notre esprit tout ce qui peut nous incliner à la peur. Et voilà que nous sommes entourés de gens qui n'ont pas fait notre effort. Bridet ne put les entendre parler davantage. Il alla s'isoler derrière un pavillon. Une demi-heure plus tard, comme il revenait, il rencontra Baumé. « Je ne pars pas », dit celui-ci en rendant la lettre à Bridet. Il était pâle. Ses mains tremblaient légèrement. On venait de lui annoncer que son départ était ajourné.

Cette nouvelle frappa tellement Bridet que, quelques minutes après, quand il chercha sa lettre, il ne la trouva pas tout de suite. Il l'avait pliée en quatre et glissée au fond de ses poches. L'étreinte se resserrait. Si on suspendait le départ d'un homme dont les papiers étaient prêts, comment Bridet pouvait-il encore compter sur sa libération. Des ordres arrivaient visiblement de l'extérieur. Le capitaine Lepelletier et ses lieutenants n'étaient plus que des exécutants.

Mais un grand choc comme celui-ci nous éclaire. Quand nous sentons que notre vie peut nous être ôtée, nous faisons un retour sur nous-mêmes et nous comprenons qu'il n'y a qu'une seule chose capable de nous rendre assez fort pour affronter cette épreuve, c'est d'agir exactement selon notre conscience. Le soir, dans son lit, Bridet fut pris de honte pour tout ce qu'il avait dit et espéré dans la journée. Il avait dit que le colonel allemand avait été tué par un mari jaloux. Mais au fond de lui-même, si sa vie à lui n'avait pas été en jeu, il savait bien qu'il ne l'eût pas voulu. Il eût affirmé, au contraire, que ce Boche avait été tué sciemment par un patriote et qu'il fallait tuer tous les Boches. Il avait espéré sa libération. Comme c'était lâche! A un moment où des Français allaient mourir, lui, il aurait accepté de partir, il aurait abandonné ses compatriotes.

Vers 9 heures du matin, on apprit que des officiers de la Kommandantur de Beauvais s'étaient présentés très tôt aux autorités responsables du camp. Ils étaient accompagnés d'un civil. On disait que c'était le secrétaire général de la sous-préfecture de Clermont. Les fonctionnaires du camp lui avaient remis plus de cent quatre-vingts dossiers. Ces dossiers se trouvaient à présent au ministère de l'Intérieur.

Ces bruits plongèrent Bridet dans un profond accablement. Il ne voulait pas le croire. C'étaient des racontars. Comment avait-on pu le savoir ? En admettant que ce fût vrai, comment les prisonniers l'avaient-ils appris deux heures après ? Bridet fit des réflexions ironiques sur les gens toujours bien informés. Mais cette espèce de délégation avait été vue par de nombreux camarades. Si on ignorait ce qu'elle était venue faire, on ne pouvait nier qu'elle fût venue. Bridet répondit qu'il était tout naturel que les Allemands visitassent les camps. Ils occupaient le pays. A ce titre, ils allaient partout. Quant au reste, ce n'étaient que des suppositions.

Il ne se produisit rien de notable au cours de la journée. Le lendemain, Bridet écrivit une autre lettre à Yolande, beaucoup plus brève. Il se réjouissait que la première ne fût pas partie. Le temps était magnifique. Il avait l'impression que le danger était passé. Il durait trop pour demeurer menaçant.

Vers dix heures, Bridet était en train de regarder par la fenêtre qui se trouvait juste au-dessus de son lit, lorsque tout à coup, il aperçut, sur la route, de l'autre côté des barbelés, deux camions dans lesquels des hommes se tenaient debout. La distance était encore trop grande pour distinguer qui étaient ces hommes. Les camions approchaient, laissant derrière eux un nuage de poussière qui rampait sur la route. Soudain, il reconnut des soldats allemands. Ils venaient relever les gardes mobiles français. Bridet qui, dans la vie, avait toujours gardé les mauvaises nouvelles pour lui, fut tellement frappé qu'il appela aussitôt ses camarades. Ils se pressèrent aux fenêtres. Pendant quelques minutes, ils parurent ne pas comprendre la signification de cette relève. Puis, comme s'ils éprouvaient un soulagement à noircir encore la situation, ils se répandirent en lamentations. Ce n'était pas 15 otages qui allaient être fusillés, mais 30, 50. Et les Boches ne s'occuperaient pas de savoir si ceux-ci étaient mariés, père de famille, soutien de famille, héros de l'autre guerre, grands blessés, etc..

Bridet regrettait d'avoir jeté ainsi l'alarme dans la chambrée. Comme il essayait d'expliquer à ses camarades que tout n'était pas perdu, ils le firent taire brutalement. Bridet était aveugle. Il s'imaginait donc que les Boches se dérangeaient pour rien. Ah, il allait voir. Ce ne serait pas long. Il n'allait pas tarder à être fixé. Mais cette colère collective tomba très vite.

– Il faudrait tout de même tâcher de savoir quelque chose, dit un des internés.

– Un de nous devrait se rendre au bureau, suggéra un autre.

Bridet s'offrit. Peu après il demandait au lieutenant Corsetti s'il était vrai que des otages allaient être pris dans le camp. Il avait à peine posé cette question, que le lieutenant se mit à gesticuler comme un fou.

« C'est de la démence. Mais qu'est-ce que vous avez donc tous? Enfin, est-ce que vous avez déjà oublié la déclaration qui a été faite? C'est incroyable que des hommes puissent être aussi nerveux. Il y a certainement parmi vous des individus qui vous montent la tête. Quelle opinion allez-vous donner de nous aux Allemands qui nous observent? Nous avons déjà la réputation d'être des excités et des sauteurs, nous allons maintenant avoir celle d'être des froussards. »

Les gardes mobiles, une fois remplacés par les Allemands, comme il ne se passa rien, le calme et l'espoir revinrent. On les observait, mais on ne s'en approchait pas encore. Ils n'avaient pas l'air méchant. Et ce qui était rassurant, c'était qu'on sentait qu'ils obéissaient aveuglément à une consigne et qu'ils ne feraient rien par eux-mêmes. Mais au milieu de la nuit, à différentes reprises, des détonations isolées retentirent. Il y avait de la nervosité dans l'air. Les choses se passaient un peu comme si les consignes données étaient si sévères que les sentinelles perdaient leur sang-froid pour une ombre.

Au cours de la matinée du lendemain, les internés cherchèrent à interroger les sentinelles. Au début, elles se laissèrent approcher. Mais le manège dut être remarqué car, dans l'après-midi, toutes avec un ensemble parfait firent mine de vouloir se servir de leur fusil dès qu'on les approchait.

Ce ne fut qu'à quatre heures qu'à nouveau la consternation fit son apparition au camp. Une voiture de marque allemande, découverte et peinte en gris, après avoir commencé à corner à plus de cinq cents mètres de l'entrée, pour permettre au planton d'ouvrir les barrières, pénétra à toute vitesse dans le camp et s'arrêta brusquement devant le pavillon où se trouvaient les bureaux. Un officier allemand de grade élevé en descendit le premier, suivi du sous-préfet et des deux lieutenants adjoints au capitaine commandant le camp. On lui présenta les armes. Il tendit le bras droit devant lui, claqua les talons. Le sous-préfet s'était découvert. Les lieutenants, un peu en retrait, gardaient la main à leur képi. On les sentait assez fiers de pouvoir continuer à saluer ainsi. Ils avaient beau être sous la domination étrangère, personne n'avait osé leur interdire de saluer à leur façon.

Devant le pessimisme qui recommençait à s'emparer de tous, Bridet se sentait faiblir. Ses camarades croyaient à l'imminence d'un drame et lui seul voulait toujours espérer. Il dit : « Rien ne prouve que des otages vont être désignés. Il se peut qu'on veuille nous changer de camp. » Ses camarades le regardèrent. Mais cette fois ils ne s'emportèrent pas, car ils commençaient à comprendre le caractère de Bridet.

La nuit, des détonations, plus nombreuses cette fois, retentirent de nouveau. Bridet fut pris de peur. Il y a dans la conduite monstrueuse d'une collectivité comme un besoin de créer auparavant un climat. Ces coups de feu inutiles, il le comprenait à présent, étaient certainement une sorte d'excitation nécessaire à l'exécution d'un acte abominable.

A huit heures, des cris s'élevèrent dans le pavillon. Celui qui devait chercher le café n'avait pu sortir. Une sentinelle était postée devant la porte. Tout le monde se mit aux fenêtres. Bridet, seul, resta assis sur son lit. Brusquement il s'était senti pris d'un immense découragement et, ce qui était curieux, juste à un moment où ses camarades, au contraire, indignés d'être consignés, gesticulaient et criaient, s'élevant avec violence contre une mesure qui les privait à la fois de faire leur toilette et de boire leur café. Bridet, la tête dans ses mains, ne les entendait pas. Il songeait qu'ils avaient raison. Des otages avaient été désignés. Ils le lui avaient dit et lui, dans sa volonté de ne jamais voir le mal, il ne les avait pas crus. Il vit ses années de jeunesse défiler devant ses yeux. Comme elles semblaient vivantes! Un long temps le séparait d'elles et pourtant il lui semblait que s'il avait été libre, que s'il avait pu retourner là où il les avait vécues, il eût tout retrouvé à la même place comme si ni le temps ni la guerre n'avaient existé. Puis il songea à Yolande. Jamais elle ne recevrait la lettre à temps et, même si elle la recevait, ce serait trop tard. Un instant, la pensée de faire quelque chose pour se défendre lui vint à l'esprit. On lui avait assez dit que tout ce qui lui arrivait de fâcheux était de sa faute. Puisque son ordre de libération avait été signé, pourquoi ne l'avoir pas dit au bureau? Pourquoi cette éternelle négligence? On ne l'aurait pas cru... Eh bien, il aurait frappé sur la table, il aurait exigé qu'on téléphonât, etc. Et à cette minute, au lieu d'être en danger de mort, il se trouverait chez lui.

A ce moment, il sentit qu'on lui touchait l'épaule. C'était son voisin de lit. « Eh bien, qu'est-ce que vous avez? » lui demanda-t-il. Bridet fut tellement surpris qu'il ne sut pas que répondre. « Vous n'en serez pas, vous », continua son camarade. Bridet comprit alors qu'en effet tout n'était pas perdu et il rougit de honte d'avoir été si hypocrite vis-à-vis de lui-même en se reprochant les défauts qui l'avaient empêché de se soustraire au sort commun.

Le piège

★
★ ★

Un peu plus d'une heure s'écoula. Soudain des bruits de voix se firent entendre. Des prisonniers coururent de nouveau aux fenêtres, mais ceux dont les voix les avaient intrigués poussèrent la porte au même moment. Un groupe d'hommes, à la tête duquel se trouvaient trois officiers allemands, entra dans le pavillon.

– Salut, messieurs, dit l'un de ceux-ci, non plus comme s'il s'adressait à de lâches ennemis de son pays, mais à des hommes que les circonstances plaçaient tout à coup à un rang très élevé.

Les Français qui accompagnaient ces officiers regardaient fixement devant eux. Ils cachaient leur trouble, en s'immobilisant sans cesse. Ils avaient l'air d'accomplir un devoir que la haute conscience qu'ils avaient de l'intérêt supérieur de la France interdisait de juger.

– Tenez-vous prêts à vous placer à ma droite quand votre nom sera appelé, dit l'Allemand, comme s'il s'adressait à des hommes dont le courage, quelque honteuse qu'eût été leur conduite, ne pouvait être mis en doute.

Comme personne ne s'était mis au garde-à-vous, il ajouta : « Mettez-vous au garde-à-vous. » Il voulait donner à l'assassinat qui se préparait l'air de se dérouler suivant les règles normales. Les prisonniers obéirent. Deux d'entre eux n'avaient jamais été soldats et le firent gauchement.

– Bouc Maurice, commença l'officier boche.
– Poupet Raoul.
– Grunbaum David.
Un incident extraordinaire se produisit à ce moment.

Le piège

Après avoir prononcé le nom de Grunbaum, l'Allemand se détourna légèrement et cracha à terre en faisant plusieurs fois « pfui, pfui », mais de telle façon qu'il apparut aux yeux de tous qu'il ne songeait pas à manifester publiquement son dégoût des juifs, mais à se préserver superstitieusement d'une souillure.

– De Courcieux Jean.

– Bridet Joseph.

Bridet eut un éblouissement. Son nom avait été simplement prononcé et, pourtant, tout était fini.

Les otages furent conduits dans un pavillon spécialement aménagé pour les recevoir. D'autres s'y trouvaient déjà. Ils chantaient. A l'arrivée des nouveaux venus, ils s'interrompirent et injurièrent les sentinelles. L'imminence de la mort les avait libérés de toute crainte. Quand la porte se fut refermée, ils se remirent à chanter et les nouveaux se joignirent à eux. Bien qu'il eût la gorge serrée, Bridet chanta aussi. Bientôt ils s'arrêtèrent. Des conciliabules se tinrent. Il n'était pas possible qu'on les fusillât. Le capitaine Lepelletier avait fait une démarche. Personne ne l'avait vu depuis deux jours. Des espoirs naissaient. Puis un profond accablement succéda à cette agitation. Maintenant plus personne ne parlait. Tous écrivaient. Bridet était le seul à ne pas écrire. Il n'en avait pas plus la force qu'il n'avait eu celle de chanter. Mais, malgré lui, il fallait cependant qu'il fît ce que tout le monde faisait.

« Ma chère Yolande, commença-t-il. Je vais être fusillé tout à l'heure. » Il s'arrêta, épouvanté par ce qu'il venait d'écrire. Quelques minutes plus tard, comme ses voisins continuaient à écrire, il reprit : « Je t'embrasse de tout mon cœur. Tu sais que je t'aimais beaucoup. J'aurais voulu te revoir. » Il traçait lentement ses mots en pensant à Yolande, en pensant à ce qu'il éprouvait pour elle. Mais à chaque instant, il voyait la mort et il était obligé de s'interrompre. Il ne comprenait plus alors pourquoi il écrivait. « Tu donneras mes livres à mon frère quand il sera libéré. Tu garderas naturellement ceux que tu veux. Tu iras voir ma mère. Tu ne lui diras pas ce qui m'est arrivé. Je t'embrasse encore, ma chérie. Vive la France, et toi ma Yolande, sois heureuse. »

Il se mit à pleurer. Ce qu'il disait était si peu de chose à côté de ce qu'il aurait pu dire s'il n'avait pas dû mourir. Il avait beau aimer Yolande plus que tout au monde, il ne pouvait plus le lui dire. Il écrivit encore : « Je t'aime, je t'aime », comme un enfant au bas d'une lettre.

Puis il se leva, s'approcha d'un jeune homme roux qui avait des taches de son autour des yeux. Il avait tout de suite éprouvé de la sympathie pour lui. Ce jeune homme était assis, les mains pendantes entre les jambes, complètement indifférent à ce qui se passait. Bridet lui prit une main. Ce contact était comme de l'eau fraîche sur les tempes. Être fusillé ainsi, en tenant cette main, ce serait moins terrible. Mais on croirait qu'ils avaient peur. On leur dirait qu'ils devaient mourir comme des hommes. Bridet lâcha cette main.

A trois heures, le curé de Venoix fit son entrée dans le camp. Il était accompagné d'officiers allemands, de civils et d'un capitaine de gendarmerie Ils marchaient lentement, comme pour ôter à l'exécution un caractère de précipitation qui eût eu quelque chose de barbare. Mais on sentait qu'ils étaient pressés et qu'au fond d'eux-mêmes, ils n'avaient qu'une pensée : en finir le plus vite possible.

A 4 h 10, les otages furent rassemblés devant les bureaux. Un camion manœuvrait un peu plus loin pour se placer face à la route. Il était gêné par un autre camion dont on n'arrivait pas à remettre le moteur en marche. Les Allemands s'affairaient. Ce petit ennui semblait avoir suffi à leur faire oublier la raison de leur présence. Il n'en fallut pas davantage pour faire renaître un peu d'espoir. « Reculez-vous », dirent-ils aux otages. « Est-ce que vous voulez un coup de main ? » cria l'un d'eux en essayant de prendre un ton goguenard, mais il y eut quelque chose de tellement tragique dans sa voix que personne ne parut l'entendre.

Bridet était parmi les otages, mais effacé, comme un étranger, pas du tout en vue à côté de ceux qui, à chaque instant, commençaient à chanter sans jamais terminer leur chanson, à côté de ceux qui sortaient parfois du groupe en gesticulant, faisant des appels à la justice des hommes, cherchant à provoquer on ne sait quel incident à la suite duquel il serait gracié. Il était derrière, mais ce n'était plus comme au lycée ou au régiment. Il avait beau être derrière, il n'était pas oublié.

On procéda à un appel. Le hasard fit que le nom de Bridet fut prononcé le dernier et que pendant tout le temps que dura cette formalité, il put espérer qu'on ne l'appellerait pas, qu'au dernier moment un incident juridique (le fait qu'il avait été désigné comme otage alors que légalement il ne devait plus faire partie du camp) s'était produit.

Pour monter dans le camion, bien qu'aidé, il fallait

faire un effort physique. Bridet eut une défaillance. Ce furent ses camarades qui le hissèrent. En cours de route, les cahots le tirèrent de son évanouissement. Le temps était superbe. Bridet regardait le soleil sans que celui-ci lui fît le moindre mal aux yeux. Était-ce la mort imminente ? Mais ce soleil lui semblait vivre intensément dans le ciel bleu et ses rayons s'allongeaient et se raccourcissaient sans cesse comme des flammes.

Bridet pensait qu'il n'aurait pas plus la force de descendre du camion qu'il n'avait eu celle d'y monter. Ce fut à ce moment qu'une idée extraordinaire lui vint à l'esprit, une de ces idées simples qui, selon ce que nous y mettons de nous-mêmes, paraissent géniales ou insignifiantes. Elle lui fit brusquement retrouver toutes ses forces. Cette idée était que, quoi qu'il fît, il ne pouvait plus échapper à la mort et que, puisqu'il fallait mourir, autant mourir courageusement.

Et ce fut ce qu'il fit.

Le lendemain matin, des femmes de Venoix vinrent déposer des fleurs sur les tombes. Elles revinrent dans la soirée, puis les jours suivants, de plus en plus nombreuses. Bientôt les tombes disparurent sous les fleurs. Les Allemands laissaient faire. Mais comme ces manifestations prenaient un sens hostile, qu'elles ne semblaient plus dictées par le souvenir mais par une volonté de provocation, l'ordre arriva de la préfecture de les interdire. Deux gendarmes furent postés à l'entrée du cimetière. Les femmes essayèrent de passer quand même. Ils les repoussèrent douce-ment, les exhortant au calme sur un ton bonhomme pas très délicat en une telle circonstance. « Allons, mes braves dames, ne vous énervez pas, allons, passez, n'insistez pas, vous avez mieux à faire chez vous. » Comme elles demeuraient immobiles à quelques pas, un des deux gendarmes se tourna vers le cimetière, regarda les tombes de l'air d'un homme impuissant devant le destin. Puis il dit : « Vous voyez bien, c'est fini. Tout ce que vous ferez ne changera rien à leur sort. Allons, mes braves dames, rentrez chez vous » L'autre gendarme ajouta : « Il y a déjà six jours », et il eut un geste qui signifiait que la vie continuait.

A ce moment, une femme se détacha. Elle avait un visage maigre, de beaux yeux bleus. Elle était grande et un peu voûtée. Elle portait un fichu de tricot noir sur les épaules. Elle s'approcha des deux gendarmes. Tout à coup, comme en proie à une attaque de nerfs, elle se mit à agiter les poings et à frapper sur les gendarmes comme contre un mur. Elle trépignait en même temps. Ils essayèrent de la maîtriser. Perdant alors tout contrôle d'elle-même, elle s'accrocha à leur baudrier, à la bretelle de leur mousqueton, à la jugulaire de leur casque, elle les griffa, leur donna des coups de pieds. Et elle criait en même temps : « Assassins, assassins. »

Les papiers, réunis à gauche et à droite après la mort de Joseph Bridet par ses amis, sont d'un intérêt relatif. Si une nouvelle édition de ce livre doit être faite, nous les joindrons cependant en appendice.

En voici la liste :

1° Sept poèmes écrits entre 1935 et 1939.

2° Quelques notes rédigées hâtivement en prison et à de grands intervalles. Il est visible que Bridet avait eu conscience de vivre des heures dont le souvenir devait être gardé. Mais, soit à cause de l'anxiété qui le rongeait, soit par nonchalance, il s'était chaque fois interrompu.

3° Les reportages que ses directeurs l'avaient autorisé jadis à signer de son nom. Il en est un où il semblerait que d'émouvants rapprochements pussent être faits. C'est celui où il est rendu compte d'une exécution capitale. Mais Bridet avait adopté pour briller un style si artificiel qu'il est impossible de trouver une phrase d'où se dégage, comme des paroles ou des écrits de ceux qui ne sont plus, une signification demeurée cachée jusque-là.

4° Deux lettres de Basson écrites de Londres, après

que Bridet eut été fusillé. Elles sont émaillées de termes anglais d'amitié. Quand on connaît la fin lamentable du destinataire elles laissent une impression pénible. Basson parle des dangers auxquels il a échappé, avec une confiance en soi, une vantardise qui choque. Et ce qui, peut-être est encore plus désagréable, c'est qu'à aucun moment il ne lui vient à l'esprit que quelque chose ait pu arriver à son camarade resté en France.

5° Une lettre émue d'Outhenin à Yolande, écrite quelques jours après la mort de Bridet et qui commence ainsi : « Je viens d'apprendre l'affreux malheur qui vous frappe... »

6° Une lettre de Yolande à sa belle-sœur, Mlle Laveyssère, dans laquelle, feignant de se trouver devant un cas de conscience, elle demande si elle doit ou non, malgré la défense de son mari, prévenir Mme Bridet mère.

7° Une lettre de cette dernière à Yolande. Cette lettre d'une malheureuse vieille femme, à qui la mort tragique de son fils vient d'être annoncée, est extraordinaire. Mme Bridet ne manifeste aucun étonnement, aucun désespoir. Elle parle de son fils comme d'un étranger et, tout à coup, à la fin, elle demande qu'il soit vengé.

8° La lettre que le lecteur connaît déjà, écrite par Bridet à sa femme avant de mourir, mais ayant été rendue officielle avant de lui être transmise par des cachets français et allemands comme si, bien entendu, les auteurs de l'assassinat avaient agi dans la plus parfaite légalité.

9° Une note datée du 15 janvier 1941, écrite au crayon par le ministre de l'Intérieur sur papier à entête du ministère, qui fut remise à Yolande dans des conditions assez mystérieuses, trois mois environ après l'exécution de son mari. Cette note est adressée à M. Saussier. Elle demande qu'on laisse « dormir » l'affaire Bridet. Le mot dormir est souligné. Cette note avait été déposée chez la concierge de la rue Demours, sans explication, par un inconnu auquel personne n'avait prêté attention.

10° Une lettre émanant d'un bureau d'édition allemand, à Paris, datée de mars 1943, adressée à Yolande. Il est nécessaire de revenir un instant en arrière. Peu après le drame de Venoix, Yolande avait réuni les poèmes et les articles de son mari (elle avait écarté les notes de prison et les lettres par prudence) en une plaquette qu'elle avait fait imprimer clandestinement sous le titre de : « Écrits de Joseph Bridet (1908-1941), mort pour la France. »

Le fonctionnaire allemand qui écrivait à Yolande lui demandait pourquoi elle avait pris la peine de se cacher pour publier une plaquette qui eût pu paraître au grand jour et où il n'y avait rien à relever qui fût offensant pour l'Allemagne. Il terminait assez lourdement en disant qu'il n'était pas dans les habitudes de ses compatriotes de s'opposer à une manifestation visant, sans arrière-pensée politique, à perpétuer le souvenir d'un mort.

POSTFACE

Le Piège : dans l'œuvre romanesque d'Emmanuel Bove publiée avant la guerre, c'est la vie quotidienne avec son réseau de contraintes, de vexations, de formalités humiliantes, la difficulté d'être, qui apparaissent comme la nasse de plomb où ses personnages viennent se prendre et s'engluent, prisonniers de leur propre misère morale et d'une fatalité produite par la maladresse. Dans ce roman, édité à la Libération, le piège est celui d'un système administratif et d'un régime aveugle, sournois, vexatoire dont la louche ambiguïté est à l'image de la veulerie, de l'hébétude générales.

Parlons du réalisme de Bove : la minutie pointilliste, le travail de dentellière, l'addition de détails concrets, le sentiment d'accablement où s'enlisent ses personnages comme si la société était le théâtre d'une conspiration silencieuse, la vision brouillée et glauque procèdent moins d'un parti pris d'objectivité, d'un souci de vérisme ou de naturalisme que de la projection d'un malaise qui annonce la contingence sartrienne, l'irréalité factice et écœurante d'un décor vide sinon hostile, une espèce de phénomé-

nologie du désespoir et une perception fille de
l'absurde.

Nous sommes surpris, aujourd'hui, que malgré
l'évidente parenté du récit de Bove avec le climat de
la sensibilité littéraire qui baignait, de Camus à Sartre,
sans oublier Raymond Guérin et Henri Calet, la
plupart des œuvres découvertes dans ces années
d'après-guerre, *le Piège* ait pu être écarté par Gallimard et passer totalement inaperçu lors de sa publication. Et pourtant, comment ne pas être frappé par
l'évident recoupement des thèmes essentiellement
boviens développés dans *le Piège* avec l'idéologie
littéraire dominante des années 50. Mais Bove est
étranger à toute mise en formule, à l'expression
théorique d'une esthétique qui est celle d'un poète
de la vie quotidienne plus que la révolte d'un
réfractaire, tant son pessimisme prend acte du monde
tel qu'il est sans espérer pouvoir changer la vie.

Le personnage du *Piège,* ce héros négatif dont la
silhouette se dessine à contrejour en surimpression
des événements de l'heure, tant il est anonyme,
transparent du fait de son inexistence même, se débat
au milieu des complications tragiques que son initia-
tive seule (un voyage inopiné de Lyon à Vichy) a
provoquées.

Admirablement décrite par l'écrivain, la souricière
qui se met inexorablement en place autour de Bridet,
cette hypocrite et insidieuse surveillance que l'administration vichyssoise referme autour de lui, a été
engendrée par sa maladresse, l'excès même de son
zèle. La procédure invisible dont Bridet s'est fait, à
son insu, l'artisan infatigable et contre laquelle il se
dresse en posture de suspect – tant son innocence
devient incompréhensible et apparaît à ses persécu-

teurs comme le signe évident d'une obscure complicité avec le crime – évoque *le Procès* de Kafka.

A peu près vers cette époque, Nathalie Sarraute
développait dans *l'Ère du soupçon* la théorie de
l'invisibilité et de l'anonymat du héros moderne,
prenant son exemple chez Dostoievski, en opposition
avec l'épaisseur existentielle du héros balzacien jeté
dans l'univers pour faire concurrence à l'état civil.
Or, les personnages de Bove appartiennent à la
rubrique de ces « hommes sans qualités », ni statut
bien défini, qu'aucun signe distinctif ne permet de
saisir, utilités sans feu ni lieu, et dont la réalité sociale
ne parvient jamais à épouser la figure, ni à combler
le moindre emploi parce qu'une vacance intérieure,
une espèce de disponibilité ontologique les a évacués
de toute substance.

On dirait que de toute part la pesanteur, l'opacité
énigmatique du monde excèdent à ce point les
aptitudes de Bridet, débordent par leur plénitude les
maigres ressources dont il est pourvu et portent
ombrage à son humilité que son être, son apparence
mêmes se diluent et adhèrent à la couleur muraille
des jours ordinaires dont le régime vichyssois distille
et gère avec une économie tracassière la tristesse
lugubre.

Le grand art de Bove est de laisser le lecteur dans
l'ignorance des véritables mobiles de Bridet. Il ménage
l'ambiguïté de la situation où il s'est imprudemment
placé en ne dévoilant jamais les arrière-pensées de
son personnage, en faisant peser jusqu'au bout un
soupçon sur la nature réelle de son comportement.

Au choix, nous pouvons estimer que Bridet n'est
qu'un pauvre type, un médiocre qui, par une incroyable
légèreté, compromet Basson, en feignant d'ignorer

ou en ignorant réellement que son ancien camarade, derrière un dévouement apparent à la cause de Vichy, est acquis aux idées gaullistes; ou bien un retors subtil qui prémédite de manœuvrer, par l'entremise involontaire de Basson, les fonctionnaires si zélés du Maréchal qu'ils ne verront que du feu là où il agit par conviction avec la ferme détermination de rejoindre l'Afrique du Nord pour servir de Gaulle; ou un lâche obnubilé par sa peur, à qui l'inactivité forcée de sa retraite lyonnaise semble si pesante qu'il se précipite dans la gueule du loup et court devant les périls imaginaires qu'il espérait conjurer; ou un orfèvre dans l'art du double jeu qui sait que Basson est gaulliste et veut se servir de ce dernier en lui laissant tout ignorer, par précaution, de la vérité des intentions qui le font agir; ou bien une victime de l'engagement de son ami Basson qui, en prenant la fuite, a détourné sur Bridet, les poursuites initialement dirigées contre lui, Basson.

Le climat de méfiance qui règne dans la capitale de ce royaume des ombres est si lourd que chacun ne peut, ni ne veut croire à la sincérité proclamée ou à la réalité des opinions des uns ou des autres, que derrière les paroles ou les comportements réside une part d'indétermination, de mystère qui oblige à se défier des apparences et à interpréter le moindre signe comme un aveu ou une trahison. De ce point de vue, l'atmosphère qui régnait en zone libre dans les antichambres du pouvoir installé à Vichy – que Bove sans jamais le décrire de front, saisit latéralement, en donnant à sentir l'angoisse et le trouble qui, insensiblement, envahissent Bridet – permet à l'auteur de donner une autre image convaincante, par sa pertinence historique, de la malédiction moins liée aux circonstances, qui dans ses précédents livres s'acharne contre ses personnages, comme une dimension qui suinte de la nature même des choses.

Dans la plupart des romans de Bove publiés avant la guerre, la pauvreté matérielle et morale, qui recouvre une indigence plus profonde plongeant ses racines dans le soubassement de la personne, met à nu les ressorts psychologiques en dévoilant la bassesse pathétique de l'homme. Habituellement, dans la comédie humaine mise en scène par l'auteur, les manœuvres sordides, les expédients dérisoires que ses personnages utilisent pour se tirer d'une affaire délicate (ou indélicate) s'inscrivent dans la perspective pascalienne de l'homme privé de la grâce. Les conditions sociales ou économiques imposées à ses personnages ne sont guère brillantes, mais elles sont la manifestation d'un dénuement tragique où l'on peut apercevoir le plus petit commun dénominateur de l'espèce.

Jamais Bove ne s'est posé en contempteur de la société, ni en contestataire, il apparaît plutôt comme l'héritier des nihilistes russes que le désespoir, l'absence de tout horizon politique empêchaient de concevoir d'autre fin imaginable pour l'humanité que l'apocalypse d'un monde sans Dieu.

Un autre aspect de l'univers si particulier de Bove reçoit dans *le Piège* un éclairage inattendu. Il s'agit de la place et du rôle des femmes dans la société : victimes consentantes et conventionnelles de l'état des choses que leur acquiescement rend plus inhumain. L'effrayante et aveugle machination que l'ordre établi perpétue quotidiennement contre l'individu solitaire reçoit un concours imprévu de celles qui sont les compagnes accidentelles des personnages

masculins. Ainsi la femme de Bridet, par son inconscience, par sa soumission spontanée à l'appareil légal
dont se pare le plus abominable des arbitraires, apporte
avec les meilleures intentions du monde des arguments inespérés aux autorités dans leur acharnement
à discréditer son mari. Elle se prête avec une complaisance naïve au jeu pervers que les policiers tendent
à Bridet, en croyant sincèrement que le respect de
la légalité offre la plus sûre garantie contre l'imprévu.
Si l'aliénation masculine reflète la crise morale de
nos sociétés, celle de la femme redouble celle de
l'homme. Au-delà du cas particulier que Bove met
en scène dans *le Piège,* et qui peut très bien ne valoir
qu'à titre d'exemple romanesque, apparaît la persistance de cette hostilité voilée d'appréhension, perceptible avec plus ou moins de force dans ses précédents livres, que la plupart des personnages
nourrissent à l'égard des femmes. La relation ambiguë
que Bove cultiva tout au long de son existence avec
ses différentes compagnes confirme et éclaire la
misogynie subtile, latente que l'écrivain développe
dans son œuvre. Dans la plupart des romans de Bove,
la médiocrité de l'homme, dont s'inspirent les motivations profondes qui le font agir, cherche une
compensation ou une revanche dérisoire chez la
femme. Soit qu'il veuille exploiter les pauvres réserves
de tendresse dont sa compagne de rencontre est
capable pour se protéger contre les coups du sort,
soit qu'il veuille abuser de sa crédulité pour satisfaire
un intérêt matériel. Ainsi en est-il dans *Armand, Mes
amis.*

Mais il semble que l'auteur ne sache pas gré à ses
personnages féminins d'offrir à l'homme un miroir
fidèle (mi-lucide, mi-complaisant) de sa vilenie ou de

son dénuement moral. Accentuant les traits prêtés à la femme qu'il pourchasse impitoyablement chez l'homme, Bove se venge, les roulant tous deux dans la même fange.

Génératrices de sinistres plus grands encore, il apparaît que, pour Bove, les qualités de la femme, loin d'aider son complice ou son amant, le desservent en l'obligeant à expier pour deux.

La misogynie de Bove a son principe dans la perversité que flattent ses personnages en cherchant à se faire pardonner par une femme leurs échecs et leurs basses œuvres, comme si cette dernière, à l'inverse d'un Dieu inaccessible, compatissait à l'abjection de la créature et l'encourageait à suivre sa pente jusqu'en bas. L'environnement social, les rapports avec les autres, hommes ou femmes, et pire encore par les temps de catastrophe, et même en ces périodes de bonasse où ne souffle qu'une bise un peu fraîche, on dirait que Bove voit la condition de l'individu aux prises, toujours, avec un milieu inhospitalier par nature. Nul secours n'est à espérer, ni du côté de la Loi, censément destinée à protéger le faible, ni du côté de l'amitié (Bridet en fait l'expérience tragique), ni du côté de l'amour placé sous le signe de l'incompréhension, voire d'une mésintelligence liée au sexe.

Et la biographie de Bove, si sèche par la concision abstraite des dates repliées sur l'absence d'événements, reflète, jusqu'à la maladie infectieuse qui l'emportera jeune encore, la blancheur exsangue d'une destinée inscrite dans l'interstice, dans l'entre-deux, dans l'exil.

Ni établissement durable, ni métier fixe, ni amitié sans tache, ni liens indéfectibles, ni piété filiale douteuse, ni consécration – et, pour sceller une fin

Le piège

prématurée, l'ensevelissement rapide de son nom et de ses livres dans un oubli total –, la vie de Bove ressemble par la malchance à la méprise atroce qui vaut à Bridet d'être exécuté sans gloire ni vrais regrets de la part de ses proches. Jusqu'en son dénuement pathétique à force de discrétion, l'œuvre de Bove se confond avec sa vie et l'efface, labile, à ce point exemplaire qu'elle ressurgit intacte, sans une ride, avec la perfection insolite d'un codicille.

Alain Clerval

BIBLIOGRAPHIE

MES AMIS, *roman*, Ferenczi, 1924. Réédité chez Flammarion, 1977.

ARMAND, *roman*, Émile-Paul Frères, 1926. Réédité chez Flammarion, 1977.

BÉCON-LES-BRUYÈRES, *essai*, Émile-Paul Frères, 1927.

UN SOIR CHEZ BLUTEL, *roman*, Lucien Kra, 1927.
Ces deux derniers titres ont été réédités en un seul volume par Flammarion, 1984.

LA COALITION, *roman*, Émile-Paul Frères, 1927. Réédité chez Flammarion, 1986, suivi d'UN RASKOLNIKOV.

UN PÈRE ET SA FILLE, *roman*, Au Sans Pareil, 1928.

LA COALITION, *nouvelle*, Émile-Paul Frères, 1928. (A ne pas confondre avec le roman portant le même titre.)

LA MORT DE DINAH, *roman*, Éditions des Portiques, 1928.

CŒURS ET VISAGES, *roman*, Éditions de France, 1928.

HENRI DUCHEMIN ET SES OMBRES, *nouvelles*, Émile-Paul Frères (comprend : Le Crime d'une nuit, Un autre ami, Visite d'un soir, Ce que j'ai vu, L'Histoire d'un fou, Le Retour de l'enfant, Est-ce un mensonge ?), 1928. Réédité chez Flammarion, 1983.

UNE FUGUE, 1928. Réédité au Castor astral, 1986.

L'AMOUR DE PIERRE NEUHART, *roman*, Émile-Paul Frères, 1928.

PETITS CONTES, Éditions des Cahiers libres (comprend : L'Enfant surpris, Une journée à Chantilly, Conversation, Le Trac, Les Pâques de Kozani), 1929.

Le piège

MONSIEUR THORPE, *nouvelle*, Éditions Lemarget, 1930.

UN MALENTENDU, *nouvelle*, Fayard, 1930.

JOURNAL ÉCRIT EN HIVER, *roman*, Émile-Paul Frères, 1930.

UN RASKOLNIKOV, *roman*, Plon, 1932. Réédité chez Flammarion, 1986, avec LA COALITION.

UN CÉLIBATAIRE, *roman*, Calmann-Lévy, 1932.

UN SUICIDE, *roman*, Fayard, Œuvres libres n° 141 (autre titre de *La Dernière Nuit*, roman introduisant le recueil de nouvelles du même nom. Texte très sensiblement identique), 1933.

LA TOQUE DE BREITSCHWANZ, *roman policier* (sous le pseudonyme de Pierre Dugast), Émile-Paul Frères, 1933.

LE MEURTRE DE SUZY POMMIER, *roman policier*, Émile-Paul Frères, 1933.

LE BEAU-FILS, *roman*, Grasset, 1934.

LE PRESSENTIMENT, *roman*, Gallimard, 1935.

ADIEU FOMBONNE, *roman*, Gallimard, 1937.

LA DERNIÈRE NUIT, *nouvelles*, Gallimard (comprend : La Dernière Nuit, roman écrit en 1927, Une illusion, Rencontre, Le Retour, La Garantie, Le Secret, Elle est morte), 1939.

LE PIÈGE, *roman*, Éditions Pierre Trémois, 1945.

UNE OFFENSE, *nouvelle*, Robert Laffont, Livre des lettres n° 5, 1945.

DÉPART DANS LA NUIT, *roman*, Charlot, 1945.

NON-LIEU, *roman*, Robert Laffont, 1946.

DU MÊME AUTEUR

Aux Éditions de la Table Ronde

UN HOMME QUI SAVAIT, *roman.*
DÉPART DANS LA NUIT *suivi de* NON-LIEU, *roman.*

Ouvrage reproduit
par procédé photomécanique.
Impression Bussière Camedan Imprimeries
à Saint-Amand (Cher), le 14 août 1996.
Dépôt légal : août 1996.
Premier dépôt légal : octobre 1991.
Numéro d'imprimeur : 1/1847.
ISBN 2-07-072385-2./Imprimé en France.